劉永濟著

# 雲巢詩存・默識錄

文史哲出版社印行

國立中央圖書館出版品預行編目資料

雲巢詩存．默識錄 / 劉永濟著. -- 初版. -- 臺
北市：文史哲，民81
面；公分
ISBN 957-547-168-7(平裝)

851.486　　　　81004356

雲巢詩存．默識錄

著者：劉永濟
出版者：文史哲出版社
登記證字號：行政院新聞局局版臺業字五三三七號
發行人：彭正雄
發行所：文史哲出版社
印刷者：文史哲出版社
台北市羅斯福路一段七十二巷四號
郵撥〇五一二八八一二彭正雄帳戶
電話：三五一一〇二八

實價新台幣三二〇元

中華民國八十一年八月初版



ISBN 957-547-168-7

劉永濟教授（時年七十六歲）

作者寫作時攝

1915年與湖南著名教育家胡元倓(子靖)
先生（右）在上海合影，時年28歲

1946年抗日戰爭勝利後，劉永濟教授
（右二）回到長沙在岳麓山湖南大學
與譚戒甫教授（左一）李劍農教授（
左二）及胞弟劉永湘教授（右一）合影

1925年劉永濟教授與夫人黃惠君（時任湖南第一女子師範學校校長）長女阿絳合影

1956年 8 月劉永濟教授（右一）及夫人黃惠君（右二）與席啓駟教授夫婦于武漢大學住宅前合影

# 劉弘度（永濟）《雲巢詩存》序

繆鉞

新寧劉弘度先生永濟以清德碩望高才博學久爲海内外士林所宗仰；其生平撰著如《屈賦通箋》、《文心雕龍校釋》、《誦帚盦詞稿》，均已先後刊行問世矣。哲嗣茂舒又取先生在世時手寫詩稿曰《雲巢詩存》者，將付剞劂，馳書告余曰：「先生與先君子交誼甚篤，相知亦深，詩稿弁言，願奉乞焉。」余雖拙於文筆，而義不敢辭。

弘度先生，湘人也。洞庭之南，奧區千里，山川清峻，花樹芳馨。靈均放逐，賈傅謫居，遺韻流風，沾溉千祀。弘度夙稟鄉邦山水清奇之氣，遠挹前修屈賈憂國之懷，微旨深心，託於歌詠。平日喜爲長短句，所作《誦帚盦詞》，取法姜白石，深得其清勁峭折之美。自謂「生平不常作詩」，此《雲巢詩存》一百四十餘首，乃一九三九年違難樂山至解放後一九六一年之稿。抗戰期中所作，憤强敵之侵陵，冀天聲之重振，建國以後之作，頌新政之清明，寄展望於前景，既皆能於讀者有感發興起之功矣。至於敍天倫，慨身世，朋舊往還，山川游賞，其内涵之廣狹雖殊，而均足以見詩人觀察之銳敏與情思之深摯。弘度自序其《誦帚盦詞》云：「詞人抒情，其爲術至廣，技亦至巧。然而苟其情果眞且深，其詞果出肺腑之奧，又果具有民胞物與之懷，則雖一己通塞之言，游目騁懷之作，未嘗不可以窺見其世之隆汙，是在讀者之善逆其志而已。」弘度論詞之語，可以通於其所自作之詩。其詩皆出於肺腑之奧，可以因小見大，窺見當世之隆汙，故亦望讀者能善逆其志也。弘度爲詞，學姜白石，而其詩之風格則兼採衆長。大抵傷時感事，沈鬱堅蒼，得力於杜少陵，而長篇古詩，硬語盤空，鐫刻險峻，則韓昌黎之嗣響，至於絕句短篇之深婉醞藉，寄與幽微者，又彷彿楚騷之遺韻焉，信乎賢者之不可測也。

余與弘度先生相識，由於吳雨僧（宓）、郭洽周（斌龢）兩先生之介。雨僧、洽周受學於美國白璧德先生，深研古希臘哲人之學，擬採其精華，結合吾國傳統文化，融滙貫通，創爲新義，以育才淑世，而余與弘度均聲應氣求之友焉。抗戰軍興之次年，余在浙江大學任教，時校址內遷宜山，弘度自湘赴蜀，道出於此，留居講學者約三月。當時外患日亟，中原淪陷，每相與論及國事，慷慨激昂，弘度謂，吾中華民族有數千年剛健特立之操，終將有以自振。一九五五年冬，余以事至武漢大學，與弘度謁屈子之祠，攬東湖之勝，中流泛棹，逸興雲飛。六十年代初期，弘度寄贈其所著《屈賦通箋》與《文心雕龍校釋》，余賦詩報之曰：「西粤論文日，於今二十年。青松寒不落，絕業老能傳。風骨標新解，禮堂定舊編。羡君勤講授，體健似神仙。」又曰：「蕩槳東湖去，曾瞻屈子祠。芳馨如何接，景行繫人思。一卷探微旨，千秋釋所疑。明燈三復罷，饜飫得忘機。」講習之益，游賞之歡，撫念前塵，宛如昨日。

弘度先生爲人耿介寛厚，以學者而兼良師，在大學執教數十年，殷勤誨育，其著述精湛，流被遐邇，而及門弟子親承音旨者無慮數千人，大多卓然能自樹立，以其所學呈獻於當世。乃一九六六年浩劫突臨，天地翻覆，弘度先生竟横遭迫害而卒，其夫人亦以身殉，可謂人生之至哀矣。賢人君子，遭遇如斯，屈原賈生，千古同慨。余序弘度《雲巢詩存》，不禁執筆泫然，悲歎弗能自已也。

一九八七年四月，繆鉞寫於四川大學歷史系。

# 詩人靈府　時代風貌

## ——劉永濟先生「雲巢詩存」序

劉慶雲

「雲巢詩存」一卷，先師劉永濟弘度先生手定其詩之一部也。起自一九三九年，己卯、春，止於一九六一年、辛丑、秋。凡二十二年。此二十二年，所歷之時期，神州發生之變化，誠可謂地覆天翻。其規模之大，程度之深，實非以往數千年中任何時期之變革所能比。先生詩，於其所經歷之種種變故，從許多不同側面，寫其心靈深處之感受。歌哭笑啼，聲發楮墨。讀之，如親其人，如履其境。

「詩存」共收詩一百四十二首，五古、七古、五絕、七絕、五律、七律，無體不備。詩之大家，固不僅能爲一體而已。

詩之爲體不一，用亦各殊。近體專擅抒情，古體亦可敍事、說理；而五古重情致，七古尚氣勢，又其異也。七古，或主古拗，如昌黎；或多用偶語，如香山。論者以爲前者格高而後者韻長，又其派分也。是皆創自少陵，而少陵固有所參借於前代，自不言而明也。世之作者，能爲各體，然不能。必其工於各體，要視其才力、學養如何而定也。

先生才大而學博。其爲學，不僅專其力於詩詞。觀其所著「屈賦通箋」、「屈賦音註詳解」、「文心雕龍校釋」等書，學者已驚其學之博而精矣。而於詞，尤有其戛戛獨造者。詩或一如之。其所著「詞論」、「誦帚龕詞」，所選「唐人絕句精華」，海內外已共珍之矣。予昔從問學武漢大學，初讀中文系漢語言文學專業，凡五載，於先生已深懷景企之情。每逢先生講授唐五代兩宋詞，必先至課室，置身前座，恭聆講誨，受益良多。然尚未能日侍左右，時聞謦欬也。及被錄取爲研究生，從先生專治詞學，亦及於詩者三載。光風霽月，旦夕接於絳帷綠野，私心快幸，未可言宣。時，及門諸子及中青年教師多以吳夢窗詞爲艱澀，不易索解。先生當爲講授如干首，抉微發隱，言簡意賅，無不令人愜然於心。近歲刊行之「微睇室說詞」，即以當時講稿爲基礎寫成。視之海綃，鐵夫諸人之說，誠可謂後出轉精矣。其於詩，予亦曾側聞其議論，舉凡唐宋諸大家，無不究之深而發之精。嘗聞能詞者未必能詩，反之亦然；蓋亦以其體旣殊，用亦有別，而作者之性分復各有所近也。而先生則兼擅之矣。蓋亦以其學之博，才之大足以並馭之也。

詩無論古近體，求其語語驚人，可懸爲鵠的，而不可期諸實踐。少陵云：「語不驚人死不休」；而其「咏懷古跡」中「志決身殲軍務勞」之句，夏承燾先生竟斥爲成甚麼話！」蓋事有非主觀努力所能至者。大家、名家之別，在於：名家往往有句而無篇，大家則有篇亦有句。先生之作，誠亦大家矣。

先生五、七言古，皆妥貼排奡，近於昌黎。其極佳者或亦肩於子美。五古，極富思致；七古則見氣勢。五古，敍事兼及巨細，議論則是發幽奧；七古則熔抒情、敍事、說理於一爐，淋漓恣肆，如決江河而搖華岱。五古「荅客嘲」，抒懷抱，洞見肺肝；譏世事，則恍如發於今日。「春曉雜詩」三首，長者十韻，短者八韻。前兩者寫春曉，後者寫雜感，如出陶謝之手。驅辭造語，綴而成章，皆有篇有句。「病起謝郭醫」，「無乃小遊戲，遂刼造化權。四壁復我有，妻孥復我前。花鳥復我娛，山水復我妍。」復蘇情態，躍然紙上。讀之，如聞語笑。其著想出語，恍惚少陵。七古「黑石山之歌」，匯詩騷於一體，汪洋渟滀，莫可估測。而「東坡生日」之作，起以神仙而化夔龍，結以分韻拈鬮，弱腕强笴。中間議論宏肆，感情澎湃，有如大江，滔滔東注。至其五、七言律，大多語語精警，篇篇整煉。而其結成較大型之組詩者，則不可刪其一二，亦不可顚倒一二。其篇法之精密有如此者。其中，五律「樂山雜詩」，實近於少陵「秦州雜詩」。傷時感事，百感集于筆端。字無虛置，句無泛設。而「未覺羲文遠，何愁禹跡窮。」「秦師誰爲哭？曹社鬼何譏！」屬對極工，用事殊切。「諸生驚健在，舊好喜來同。」「時危身亦賤，士耻氣偏强。」「霧中偏的皪，竹外忽橫斜。」蒼凉激楚，感慨遙深。而其或起以「誤讀遼金史，徒生九世仇」，而結以「北陵風雨惡，戰骨莽難收」；或起以「宿將聲威在，名城百戰全」，而結以「前堙輸萬骨，歌吹莫輕憐」；或起以「梅樹驚春在，冲寒自作花」，而結以「東湖舊時月，凄絕虜營笳」。皆大起大落，非巨匠莫辦。七律，卷中所收，幾無一不爲完璧。而其中警語，如：「萬里乾坤流轉盡，百年身世涕洟稠」（「奉酬天閔樂山見懷長句」）；「怒濤不盡遺黎恨，玄雨長霾逐客魂」（「讀散原文詩集」）「自有溪山供醉眼，各親燈火攬營魂（「四用門存韻有贈」）；「久嘗鷄肋知無味，細論牛刀欲盡年」（「喜雨」）；「沂洄月窟星源地，甲乙三唐兩宋人」（「過天閔寓齋清話」），「句中離思多於海，畫裡前遊邈似天」（「答和宴池海上見懷韻」）。凝重、高華，在遺山、放翁之間，許丁卯或猶有所未能也。而卷末「寄湘弟」兩律，婉轉盡其棠棣之情，而又飽蘸身世之感，語語至情，大類少陵夔州以後之作，不煩繩削而自工。是蓋詩人大成之境也。

較之五、七言古律體，其所爲七絕，在集中不獨爲數最多，亦別具特色。先生在其「唐人絕句精華・緣起及取捨標準」中，引劉禹錫所謂「片言可以明百意，坐地可以役萬景」，梅聖俞所謂「狀難寫之景如在目前，含不盡之意見於言外」，以爲「尤於絕句爲必要之論」。蓋「絕句之體裁雖小，詩家皆以爲難工」，作者必須「藝術手段甚高，概括力甚強」，方能以此最小之體裁，將客觀事物反映於其「思想情感上最切要、最精彩」之部分。而「讀者由其已寫者可以推想其未寫者，由其部份可以推見其全體」，「吟咏之餘，覺其精溢詞外、狀呈墨中，犂然有當於心」。先生於七絕會心既遠，所作俱工，大多以清新、雅重之筆，就其難忘而又難狀之景與事，寫其無窮悲感。不多假於事，而意味深長，耐人把玩。如「易簡齋中回憶」之一：「銜尾艟艨上鄂城，紛紛覆國破都聲。驚塵起處縹緗散，腸斷床頭兩蔽籯（「月夜」）：「愁似春蕪易刪，若無佳致領高寒。倦來只欲關門睡，荒却溶溶月一山。」其沉郁之思，酷似子美；筆力之勁健，又大類昌黎。雖不似盛唐之高渾，却不落晚唐之纖柔。此雖時勢使然，亦性分、才情、學養所致。

近世論者以爲有學人之詩，詩人之詩，先生之詩，蓋學人詩之高境而又不乖詩人之旨者。席啓駟魯思丈謂先生「樂府追美白石，詩亦如之」。蓋着眼於其詩格之清剛而發。倘總先生之所就，則似非宋人所能限。席丈題「詩存」句云：「唐宋人何曾分畛域，從知功力見鑪鎚。」殆近之矣。近代以來，學者於詩，多主唐宋混一，學人之詩與詩人之詩混一。先生之志，蓋亦在此。故能「別裁僞體」、「轉益多師」而成其大。

先生於「詩存．錄稿後記」中，自謂「平生不常作詩，此卷所錄，乃違難樂山及解放以後之稿。其中有可與誦帚詞互見者，有可補詞所未及者。存之，亦可見予生活之片段」，故以「附詞集後」。此在先生蓋「聊以自備省覽」；而在讀者，不獨可窺詩人之靈府，亦可覘時代之面貌。蓋詩之所紀，雖爲詩人「生活之片段」，亦乃國家民族之一段重要歷程，謂爲現代之詩史，亦宜。

「詩存」，先生手錄於一九六一年，辛丑，二月，距今二十有七年矣。手跡猶新，墓木已拱。悲涕千秋，空山片碣。倘典範不彰，來者孰法？現能付梓，潛德幽光，得以宏發，良用欣幸。予自違塵誨，近三十年，風塵奔走，碌碌無狀。回首師門，深慚遺訓。垂白燈前，摩挲遺墨，恍惚猶在春風化雨中也。書此以弁其端，蓋就所得於先生之詩者，亦如當日呈繳一短論以當作業也。

一九八八年十一月，戊辰季秋，

受業劉慶雲謹序於湘潭大學之北斗村

# 序劉永濟先生《雲巢詩存》暨《默識錄》遺篇兩種

殷正慈

先師劉永濟先生、字弘度，湖南新寧人，生於一八八七年，歿於一九六六年，享壽七十九歲。先生家學淵源，才華天賦，於古文史騷駢，研治精深，工詩而尤擅詞，學者尊為宗師。曾著有「屈賦通箋」、「屈賦音注詳解」、「文心雕龍校釋」、「詞論」及「誦帚盦詞兩卷」等，均見匠心獨運，學養淵深，風骨峻嶒，志節磊落，極格高韻遠之致。朱光潛先生曾題其詞集云：「諧婉似淸眞，明快似東坡，冷峭似白石，洗淨鉛華，深秀在骨，是猶永嘉之末聞正始之音也。」堪證其骨秀神淸處。

先生初在東北大學任教，「九一八」日本侵華事變後，瀋陽淪陷，先生南下，就教職於國立武漢大學。抗日軍興，武大西遷四川樂山，一九四三年，任文學院長。先生於患難流離之際，仍勤於研述，對校務經營，亦備著辛勞。抗戰勝利後，隨校東返武漢，在東湖之濱，珞珈之巔，重揚絃誦之樂。

一九四九年，大陸易幟，當權者初尚容先生繼續留校，任教古典文學。先生似亦自適，奮發治學。一九六六年春，「文化大革命」乍起，浩劫猝臨。先生以其幽憤悱惻之「詞集」獲罪，被打成「反動學術權威」、「封建遺老」、「階級敵人」、「劉永濟拋出反動詞，和吳晗、鄧拓、廖沫沙遙相呼應，向黨進攻。」不斷地被鬥爭、被清算，被迫「交心」遊街。先生體素清癯，高齡衰翁，何堪忍受長期非人道的折磨？憂病交煎，終於在同年十月二日，含寃負屈而死。師母惠君女士，於先生去世後之三月，亦自動追隨長逝者於九泉。遺女茂舒、茂新及子茂端三人，均被打成「黑幫」，下放勞改，凡十餘年。一九七九年始告平反昭雪，武漢大學曾爲之開會追悼，並將其前曾被銷毀之詞集，重印成冊。

一九九一年十二月中旬、林端姿小姐自大陸武漢返臺，親自送來劉師之長女公子茂舒函件一封，暨劉師手稿二種。函曰：「……目前我手上尚存有先父手定『雲巢詩存一卷』和讀書札記『默識錄』二卷，找不到出路。我又暮年，不能實現先父遺願，時時令我悲痛不已。」「……希望大姐在臺助我一臂之力，以慰先父在天之靈，也了却我今生最後一個心願。」茂舒世妹我本並不相識，但曾在刊物上拜讀其鴻文，也從文中瞭解劉師當年屈死詳情。劉師在現代中國詞壇上素有「才子」之稱，可憾文章憎命達，在其暮年竟受到苛政殘酷的打擊而致死。雖然在十二年之後，終告平反，但死者已不能復生，又何補於他生前的肝腸摧抑和絕代才華的零落？

其「默識錄」所記讀書心得，卓識宏見，不讓古人，亦不苟同今人。其「雲巢詩存」、風格道勁，狷傲不群。讀罷為之慨然：如此清新，却又如此蕭瑟，豈非如蘇曼殊所言：「才如江海命如絲」者？茲略舉出其七律二首，藉窺一斑：

**老　去**

「老去空驚世變新，眼中紅紫不成春。酒觴自覆非關病，客座長虛始覺貧。九奏何必娛醉帝？百靈低首拜錢神。昏檠兀對茫如夢，又聽西風起白蘋。」

**甲申立春（一九四四年）**

「年華似水去無聲，憂患如山未可平。豈有異材醫國活？祇憐癡計畏天傾。沈沈北斗橫空轉，草草東風取次生。尚與烏烏同覓食，鉏耰幸莫負催耕。（催耕、布穀也，鳴聲如曰快快插禾）」

劉師為傳統式中國文人典範，資質優異，敏而好學，似高傲而實熱情，心愛國家而深惡極權。他畢生教學，桃李遍天下，作品應該傳世。我輩多年隔絕之遠道弟子，聞訊驚怛，師門晚境，如此淒切，回首鄉關，不禁潸然。今幸得文史哲出版社彭正雄先生之熱心協助，願將遺著照相出版，藉以保全劉師之心血真跡。中共在大陸推行簡體字雖已多年，然劉師手稿仍筆酣墨飽，無一字簡化，無一句草率，不僅保存中國六書真法，亦足以表現其風骨嶙峋處。此殆屈子所謂：「世溷濁而不分兮，好蔽美而嫉妒。」「亦予心之所善兮，雖九死其猶未悔」者歟？

文末綴拙詩二首，聊以誌憶兼誌感：

**其一**

「珞珈璞玉久琢磨，立雪師門感慨多。譽我青春歌古調，羨公吟嘯撼星河。滄海幾回驚世變，桃源無地避秦苛。何日重尋松菊徑？屈原亭畔悼劫波。」

**其二**

「瀟瀟夜雨念斯人，讀罷雲巢意豈平。高才薄命應有恨，楚水湘山何寡恩？中原遍灑遺民淚，遠渚難招詞客魂。幸有掌珠能繼志，重光奕葉播清芬。」

一九九二年一月十六日稿於臺北市

# 雲巢詩存　默識錄　目次

**默識錄卷二**

## 默識錄卷三

# 雲巢詩存一卷

辛丑仲春弘度手定

# 雲巢詩存　起己卯春迄庚申秋

己卯

∴奉酬天閒樂山見懷長句

一落南天萬事休擁窗瞑坐等詩囚暗驚入郢謠成讖

豈定亡曹鬼預謀萬里乾坤流轉盡百年身世滯淹稠

遙憐西蜀山川美杜老吟多應白頭

∴宜山遇日機空襲

羽轂浮游理不奇巢傾卵墜復何疑平生自許軒昂甚

慚愧奔雷破柱時

∴夜觀辰谿湖南大學諸生演鳳凰城苗君可秀死

難事苗君為東北大學文學士從予問業有年遂

變事起組成義勇軍投鄧鐵梅部下抗日被俘不屈死今觀此劇棖觸舊情淒然成詠

無端皂帽落窮邊曾見苗君正妙年今夕氍毹表忠烈
如塵如夢最悽然

萇宏碧血成秋燐精衛冤魂塞海東為問當年六千士
幾人還唱滿江紅（苗君曾乞予為義勇軍作軍歌予填滿江紅調与之詞稿另存）

已驚碧月淒魂夜忍見黃沙授命時獨向青燈憶儔侶
故關風雪到書幃（予不忍見苗君畢命一幕乃離席而去）

如予始堪稱國士慚予端合老風塵窮荒留命歸何處
歌罷黃蒿獨愴神（老杜同谷歌曰黃蒿古城雲不開白狐跳梁黃狐立我生何為在窮谷中）

夜起坐萬感集不啻為予今日道也

、夜泊江津遙弔吳君碧柳

故人久零落佳縣始經過山水風儀在乾坤感慨多十年留宿諾萬處贖悲歌斗酒遙相酹勞生亦逝波

、樂山雜詩

于役經時久艱危到蜀中諸生驚健在舊好喜來同未覺羲文遠何慙禹蹟窮天行有剝復吾道會當通

山城驚寇大闤闠化寒墟痛矣焚巢燕傷哉脫釜魚盤飧還餉杜繩榻更迎徐賀監今狂客高情世不如八月十九日寇機襲樂山全城半成灰燼予抵此未二日舉家傍偟無所棲止道逢賀君藏雲近歸其寓老杜彭衙彷彿

二

似之賦
此為謝

今季念行役馳書問訊詳時危身益賤士恥氣偏強鼓篋新知少帷燈舊味長因風聊慰藉微命易周防

此身無定著陶冶任天公未暇辭瘤柳寧辭化鼠蟲百年從古少萬慮到今窮獨臂亦何有書空笑杜翁 左臂痛

已撤邕寧守還傳我勢雄十年深教訓萬衆盼圍攻漆室憂疑久鴒原急難同何因朝野論猶未盡和衷 聞邕寧陷

歲首愁枯坐韶關有捷書天心殊窅杳新命此權輿便覺春光麗還疑戰報虛南邕鏖全局何日殲魁渠 庚辰元月五日聞韶關大捷而邕寧前綫戰報久不至何邪

一九四〇年 庚辰

[illegible]

遼鯨鯢戀翻古葛藟憂北陵風雨急戰骨苦難收慨日寇也昔年成都民戕二日人喜多誠一奉其國王命來川交涉下飛機時手執宋史一卷識者知其欲襲遼金侵宋故事久矣及中日戰起南北各戰場聚殲之敵不下數十萬且兩年以來我之與國日多敵之外交日棘其誤讀古史昧於時務自貽伊戚甚明而其朝野上下瞢然無知曾不悔禍雖其元老重臣西園寺公有中日偕亡之痛語而其軍人尚充耳無聞亦可哀矣

：宿將聲威在名城百戰全艱難當大敵勇決陷中堅日射長河赤霜乾朔漠羶前煙輸萬骨歌吹莫輕憐傅作義軍

克五原

：北塞方傳捷南邕又合圍秦師誰為哭曹社鬼何識古

三

有哀兵勝今當虜志違前鋒幸致果片甲莫教歸

歐亞兵動人間事可驚始知悲智力難勝噬吞情雄

英名無盡創痍痛不平大鈞自消息蟬雀你何爭 聞歐戰起

天地艱危際樊襄再逐奔近聞量虜首大足懾游魂栲

杻憂何亟干城誼可敦中原淪喪後此即國東門 傳聞樊襄

大戰斬馘甚多

梅樹驚春在衝寒自作花霧中偏的皪竹外忽橫斜漸

覺吟情好還傷江路賒東湖舊時月悽絕虜營笳

奉慰秉園長郎病歿筑城而家藏書籍復燬

揚子玄文終自顯中郎一女豈須多君家玉樹森森秀

爭奈縱橫老淚何
伏書老眊猶傳誦邊笥便便自足珍刧火千年燒不到
文光爚爚照星辰

奉題簡園母胡太夫人家傳

兵戈不見老萊衣太息當年杜甫詩今日誦君慈母傳
那堪身在亂離時
昔賢深戒好為師鬼瞰書帷語益奇我亦與君同此恨
可能無愧斷機絲
房中樂散關雎廢哭世曾無子侚徒最是施衿乖戒語
直攜末俗到唐虞

四

：：川境得雨米價仍高攄憂有作

萬物之凋瘵甘霖未舒憂天聽豈不乍膏屯良有由居
積罪可逭怨咎理何尤哀哉杜陵叟米價貴啁啾
託迹貴安時胡爲食貧艱神虛枵以游腹儉數而爨坎
坎與物懷矯矯凌霄翰不見萬人豪猶斷漂母粱
晚花潤有情芳草新可覿且尋一簞樂寧與四門歎萬
姓困將輸三邊苦奔竄安危浩難量生涯焉足算

：：若戰

若戰三年甲有蟣蝨儒休歎捷書稀須知賢聖無窮澤
中具雷霆不測威秦婦未勞歌板屋島東久已怨袍衣

絲花艾葉分明在，貪虜何緣識禍機。李賀艾如張詩：艾葉綠花誰翦刻，中藏禍機不可測

·謝藏雲惠故京牋紙

色比明霞滑似砥，王孫藻繪亦堪思。故人珍重相持贈，中有漁陽鼙鼓悲。牋畫乃溥心畬筆

乾隆御製雙龍彩，王府珍儔小角花。今日相思渺天上，恰如元老夢京華。

愧無魯直驚蛇筆，滿目秦州入蜀詩。已幸明窗堪獻根，薛濤香井卻牽思。

·風雨

風雨何蕭瑟縈簾復撼窗一椽如夢泊驚浪滿寒江
烟樹碧無際淒涼一望中我生同溷翼歸路入溟濛
巴雨無時歇江流漫野陂瞑禽巢欲破竟夕戰風枝

．．讀散原丈詩集即用卷中門存韻賦感

楚纍哀戀兩東門山鬼歌沈玉笥村孰意奔輿同覆轍
難憑忠憤止戕喧怒濤不盡遺黎恨玄雨長霾逐客魂
千古精靈如可接雄光萬丈此常存

．．書憤再用前韻

空懸憤眼子胥門已逼驚烽漢女村社樹不神狐鼠跳
沐猴自貴鼓鉦喧輸軍給食無長算繫馬霾輪枉擲魂

莫倚天民得天助試看禹蹟幾州存

・・易簡齋中四憶・

銜尾艟艨上郢城紛紛廈國破都督驚塵起處縹緗散

腸斷牀頭兩敝簏

諸城妙翰比鍾王曾為湖樓發古香今日雲巢立四壁

漏痕蝸篆對匡牀

不誇石谷數耕烟殺辟虬松亦可憐晴色滿窗凝對久

恍如風落百重泉

俗書不識北朝真篋衍琳瑯翠墨新過眼飛雲忽變滅

空山畫腹意酸辛

六

：三用門存韻寄懷泰龍長谿

竄身荒谷一柴門擾擾雞豚共此村悵觸幽憂到蹙眉護持微尚敵羣喧晴枝歷歷凋年影霜鴈紛紛故國魂賸有新詞挾秋氣不堪投贈自删存

．四用門存韻有贈

憂樂由來聚一門何如雙遣老江村槐宮蝸國人間世野馬風輪寂外喧自有谿山供醉眼各親燈火攬營魂與君俱是違時器且喜綿綿旦氣存

：輓樂誠師　一九四四年

人豪欻烟銷於國表重器堂堂造士懷耿耿塞天地側

間弱冠初伯氏督精肄詩禮親傳授造次防失墜歷鞅
豈見求蘭服是自媚盱衡驚世變忼慷閱裏勘觀國渡
榑桑藏胸一大事曰人皆夙興而我猶酣睡寰球一宙
合安能獨矜闢新知與顓學殊軌宜方嚮歸來得賢豪
相與通氣類辛勤度宏規横舍始粗備諄諄朝夕斯有
如伏卵翅又如工射人心手目不二有教無賢愚約微
兼罕譬曰堅苦真誠無大小同異糅雜則觝觸陶鎔自
洽比戒慎將恐懼是用禦魑魅兢兢既帥正懃懃更殖
植及今四十年無幾或放恣中間歷憂患九死靡移易
於時皇綱弛雄傑圖拔幟呼吸一疏間萬鬼爭怒哭學

七

子氣方剛頭顱輕一試將護若慈母毛髮皆蔭芘欲令荊楚材遠媲河汾懿新命誕舊邦公實有勞勩哀白遺屯難壯心矢伏驥力盡志未殫一棺藏萬疾濟也幼失怙青雲恩自致中途復隕蹶破甑幸弗棄每於廣坐中譽我辭不置有時困埃壒林泉呼把臂有時雜諧笑委曲及私秘形骸既脫略情意轉肫摯跛者豈忘行聾者豈忘視傷哉樗櫟資乃勞大匠覬山丘感零落州門哀獨至斯文儻未喪累德敢私謚

‥黑石之山歌　仿吳碧柳體弔碧柳兼寄鄧禱仙

周光午兩君江津聚奎學校

黑石之山山石黑中有素心人不識少年抗志在黃唐跅弛難受世銜勒我初見君怪笑君不惜干將驅蠅蚊塗窮忍饑羞墮淚但解哆口談周文大布之衣荷芰香安肯仰面求寵光平生懷抱渾未盡人方行怪君道常六年長沙共講習議論往往驚老蒼腳健愛尋山水窟高興所寄無遐荒汨羅之濱屈子南嶽之巔呼舜皇卷舒雲物入詩句意氣直欲捫天閽自言胸中尚有三萬六千字欲寫大禹平水土孔邱立教化孫文復舊疆都成一巨帙並駕西方但丁之樂章爲我神胄揚靈芳天胡不假君以年遽奪君去使我傷我愛鄧夫子造士

八

意彌長思君久無極招魂下巫陽象設君室羅酒漿魂兮歸來返故鄉四方上下多不祥我欲封章訴天帝還君詩手與詩腸待草雄文驅醜虜提挈日月兮玄黃不令魑魅罔兩長披猖我愛周光午慺慺守圓方辛勤校遺集紅燭淚淋浪君死復何憾君之精靈長在聚奎之學堂化為千萬身一一與世作表坊黑石之山名俱揚

．．

債屋柿灣不成漫書貽柿灣諸君

天地指許寬一枝安足借我向鐵頭坐欠伸猶百舍有時立屏風爽若登太華有時走藕孔屈曲聊自暇相期游無何神尻亦可駕不聞聖阿難鑰道往來乍何須跨

赫戲卷局發悲咤六種或衷動花源在刧罅持詑壺中
公壺天漫專霸

·答客朝

貧是吾家物相尋豈待詒揚子困寂莫欲逐反遭誚韓
先蹈覆轍舊說更新勸之手助甚肆腸肚日相弔我今
不復尔縲繮謀自療煮字療古味畬經拾遺稾癡兒苦
枯淡怒索難慰勞十日偶一肉鵝鴈歡聒噪大官亦見
憐助錢供食料有如西江水升斗望不到狗竊毛毿毿
人來懶迎呼鼠餓無所得槃柶紛爵噍一客顧我言君
胡不自效不鬭揚子幼賤糶貴而糴什一儻可逐賈豎

九

政當傚不見杖杜公玉食踞廊廟傖鬼挾蠱婦過市生
光耀何嘗仗詩書蹉蹬賦鶺鴒人生行樂且擇術貴得
要避席敬謝客公語何詭譎吾聞劉伯龍曾被鬼所笑
富貴固有命人事亦多徼我豈銜大夫哫訾媚奧竈況
今戰方急萬姓若懸倒前驅師百萬血肉當烈燄東南
財賦區淪陷資寇盜糧危支四載國本且虛耗去年失
宜沙湘蜀絕轉漕軍食急如火徵調勞勸告今年復恐
旱川原似火燎十日不得雨事勢真難料人謀豈未臧
天力窮覆燾頻憂士氣沈無以禦疆虢而我猶晏坐廩
食於學校雛豚縱難求蔡莧鮮可芼飯餘捫腹行即此

已忝冒平生所讀書豈為身口好下流烏足居不材良匪徽公自用公法吾方樂吾樂客去四壁靜哦詩付德曜

：：喜雨

五口懸懸共播遷君乎与世未全捐久嘗雞肋知無味細論牛刀欲盡年野魃作魔噓旱火癡龍驚夢出寒川長餓臣朔唯憂死撥悶先題喜雨篇

：：春曉雜詩 二一九〇一年 辛巳

海槐搖天風布影庭宇綠柔條綴妍翠重疊自蓋覆春禽喜幽邃於此聚百族晨光熹微中引吭鳴相逐我時

十

方偃息開耳閉兩目真成樂出虛巧奪金石竹攬衣憂
患攖六鑿紛垢黷汨沒衆苦中不復知我孰安得忘世
屯天游謝塵躅自然吹萬竅為鼓無名曲
晨興窓色麗葉底漏微陽絲絲照几席灩灩生晶光盥
漱事粗已端坐弄丹黃會心時一逢曠若游羲皇所嗟
三益友各在天一方徽契何由申有類塊在腸羨彼林
間鳥尔汝聲相將喪亂事多違胡為久參商
登天不測高入海不計深幼志務恢奇肯受世故侵譬
彼捕鳥人布網彌山岑叵奈網目踈向晚無隻禽閱世
數十年事往不可尋好懷日消減所餘惟苦心又如塵

箧中蝨葉藏枯蟫人間豈如此蹤拙遂至今何不狎戲
之四海一蹄涔鬱鬱終何為有酒且酌斟

·入春五日聞湘捷再用堅字韻賦喜

街頭聞好語淝水破苻堅後喜當防折旗紅春更妍普
天同向順大道不歆偏指日平狂虜江村可盡年

·三用堅字韻酬天閒

吾愛徐夫子霜華不改妍沈冥聊闕世羈泊欲忘年隱
几室生白彈棊巾屢偏才名人盡識摭字老彌堅

·作晴嘲春物 一九四二年 壬午

幾日東風欲放顛淨收烟霧作晴天前檐寒雀便翻舌

十一

叢灌壞色思回妍牆茨石衣何瑣碎荒葛野蔓相鉤連
即須生枝更添葉怒茁芒刺防鉏擾蠅頭蚊翼氣砍活
蟻穴兵動蜂奴翻蒼虬古梅獨含笑明日冷煖那可料
老夫負暄讀書殊不惡長頭閣頸靜如鶴

：清明前一日偕九將赴西昌道經樂山師梅拱之
兩君招予陪遊烏尤遂及凌雲歸成廿九韻以紀
一日之樂兼呈復性書院馬主講

烏尤究神山岷沫繞蓬海朝嵐与夕霏相望亘三載羈
懷易感倦佳約屢輕改周侯乘傳來塵鞅思朗豁趙文
素矯健探幽甚饑餒勝日相招邀興發那容怠主賓三

四人一葉輕可買瞬馳入烟翠混障懸真宰茲山富枏
篁朝陽弦金彩策杖步磴曲綠淨焉敢浼丹巖孕靈奇
若有幽人待登陟既已勤樓閣彈指在憑虛縱遐覽物
象足瀟灑遙岑忽低昂天際列鼎鼎二水夾銀沙行榜
紛蹁躚境清世慮澄緣語有深慨小啜忘前疲一笑失
磊塊開有素心人於此樹芳楷我來適休沐講舍門外
闕窺中知富美彷彿龍蘭莚庭樹晝愔愔竚立想風采
千古此雅臺臨眺實爽塏度巘尋凌雲意洽勇乃倍兩
山異宣寂中界孰剖解久聞大佛尊今見亦凡猥誰云
想憫智坐閱世蒞臨豈已勞津梁小憩未遑追茲事不

十二

可窮聊用相戲娛良朋值令節來遲安足悔
∴拾隱篇　昔許伯清謂小山拾隱乃言山林嶮岨
、虎豹吽嘷不可久處与後人拾隱之意相反今
因其說作此篇寄泰龍衡陽
人生幾何苦乖離一日何止三秋思初疑玄霧澤文姿
或恐病臥維摩師天風琅琅吹鵾鵾海雲黮黮騰龍螭
饕餮檮杌將窮奇吸吮人血投其齒山深澤老藏魅魑
古木千尋纏虺蟦宵寐不寧晝何之誰更為君祓不宜
令時嶮危難獨處君其歸來勿復疑長江東流白日西
羿羽一往無還期胡為坐令風輪馳我有瓊糜香流匙

雲漿玉液瑪瑙卮酌君既醉酡顏怡願君勿惜朱絃綵
為我一鼓猗蘭辭聲流天地無成虧
：：戲成長句贈天閑簡園且索簡園酒食
徐公頭白未成翁蕭蕭謖謖松間風論詩說賦兩第一
握鞭打馬皆豪雄此手間來披靈秘蟠拏字字成游龍
興酣忽愛古人的滔滔背誦如兒童注蟲魚豈磊落人
昌黎此語迷失真我見劉先殊不尓撐腸經傳香輪囷
芳懷自與瓊枝好慈的或對啼鵑呻蟲我其間出薄藐
乃似齊秦盟魯衛壇坫縱橫或未能樂敦風流疑可繼
人間此樂不常有沽酒莫為明日計

十三

・讀耀先黃君記宋貞女事

蘄黃有女女氏宋勁骨剛腸萬金重荊天棘地作孤翔
百神下泣真宰慟烈士殉名甘刀几此女艱貞過百死
但將烈死比貞生世論紛紛無一是黃先嫉惡憂天綱
欲提薄俗還羲皇闡幽有類芒在背如椽之筆發幽光
我讀其文三歎息情中禮外俱難得莫言頑鐵是人心
試看黃巾猶感激

・通伯出示雙佳樓主所作山水因以尺紙索小幀
詩以先之

我有萬雲壑蟠胸不得嘔讀君無聲詩一一皆我有自

從摩詰来奥窔紛鑿剖腐朽與神奇恣意相授受遂令
造化妙亦復窮孕毋我生瀆江源實維山水藪誰知此
靈竅閉置若新婦苗非至暱人不得或親厚我幼与之
狎佳處知八九崇隆者截雲峭拔者捕斗嶠者越龍騰
猛者虎豹走須臾千百里勢往難械杵有時網衆鱗瀐
戢爭出首有時屯萬駟踶齧雜牝牡大若斧劈空散類
麻分緒威嚴或宰官婀娜又風柳縱彊宛負氣頽唐叟
中酒回洲既逶迤往渚偏清瀏潭深自溶潏瀨疾乍喧
昫批巖撞黃鐘穿穴鳴甕甂空明鳥誤投澄鮮魚可數
烟霞互蔽虧陰陽錯交紐種種拙殫述了了愁脫口豈

十四

意此衆形乃出君素手鸞谿焉可求搔頭呼負負尺紙
亦儻來煩君作培塿

・奉答天閔見示飲王髯山居詩

淵明得琴趣無絃意翛然東坡不善飲說酒欲流涎王
髯足方略用心書蔬閒夷然脫世紛一壁聊自專徐公
爲無爲但有節蓋顛自言拙早計不如髯之賢賦詩說
髯樂汩汩如流泉我亦樂其樂翩翩雲中仙譬彼得魚
人安問竿与筌我汝兩皆忘濠上語徒妍桔槔亦何用
且復全其天

題畫

不畫雲山畫戰耕題詩我見畫師情從頭細讀商君法
始信鉏耰亦甲兵

・袖墨

尺布兩令直百金五年着破舊衣襟當時袖上淋漓墨
賸向滄江染夢深

・自訟

搖兀江湖鬢欲斑幾時歸臥夢中山此身破甑休回顧
鼓篋人前亦厚顔
莽莽乾坤餘幾寸昏昏野雨更蠻烟南陔慈日分明在
慚負楹書五十年

十五

．．讀天閒近詩賦贈

徐公秀句出寒餓不似孟生吟苦些斗室回旋地有餘
門外寧知天小大委隨萬物道自尊屈曲人間計豈左
昂頭恥受斗升憐但憑詩好無人和秋懷已據昌黎席
遣興小篇復婀娜千載儻起東坡翁識彈敢向夜鐙唾

一九四三年 癸未

．．見綠萼憶落伽山齋梅

瓊妃不負舊年華催放冰蕤綠萼花根觸幽懷憶雲水
小瓶清供入誰家
多定相思損玉容東風歷歷是前蹤故人空有么禽夢
水隔烟遮那易逢

・・過天閑寓齋清話

老眼觀書明似炬
澄懷論世淨無塵
泝洄月窟星源地
甲乙三唐兩宋人
衡玠片言皆可寶
杜陵萬卷始通神
從君乞得靈臺鑰
歸覓衣珠足救貧

・・月夜

總似春蕪未易刪
董無佳致領高寒
倦來只欲關門睡
荒却落落月一山

・書憤呈天閑稼胎

不能東海逐波臣
合受人間撲面塵
千古南華奇抱在
纔謀適計語何神

十六

·檢豢龍遺札封識之題以兩絕

虎略龍韜一夢中傳經傳法事皆空故人乘化歸何處

雲路蒼茫雁不通

再通雲雁已無緣蜀雨江風祗自憐重檢遺牋細題識

不教零落化秋烟

·零零一首呈撫五校長

零零漸漸添愁雨漠漠冥冥障夢山林鳥不知何所語

溪雲定自未能閒家藏半郭半村裏人在非今非古間

碌碌相從真失笑賸磨芒角入癡頑

··老去

老去空驚世變新眼中紅紫不成春酒觴自覆非關病
客座長虛始覺貧九奏何心娛醉帝百靈低首讓錢神
昏棊兀對兹如夢又聽西風起白蘋

·黯黯

黯黯復沈沈已山正積陰首每將及榻衣袖欲生蟫遠
戍傳烽暗荒雲伏莽深塵埃百年事蕭瑟此時心

⋮小几

小几攤書懶裹箋觸思深風雲驚短夢山水助哀吟貧
恐高情損愁防老色侵故鄉歸不去歸去亦難禁

·寄湘弟

十七

雲涯吾弱弟山澤一癯仙同乞人間米驚看海上田故
書雖在篋壯志已如烟游釣尋常地重逢或有年

：：山居口號

貧來不問溪魚價野處能呼山鳥名消盡世緣餘底事
田家晴雨尚關情
昏鐙澀眼偏宜懶僻地幽棲得率真頗笑曹瞞誇老學
却憐杜老畏時人

：：題孫桐詞卷

雞廱桔梗帝何常過眼風花墮渺茫豈意文章經國手
晚拈秃筆寫滄桑

如此江山可奈何詞人老去事還多大蘇自負行歌處
誰是當時春夢婆

眼見東門沒草萊靈均懷抱有奇哀壯年虎氣空騰上
贏得文壇惜霸才

千年溫尉亦堂堂但解抽絲繡鳳凰何似江南李鍾隱
風姿絕世不須妝

獨攬奇懷闢徑行紛紛畫虎總難成文章自有規模在
千古涪翁識最精

∴讀孫桐入秦詞草有感於卷中事各賦一絕

自古江山待上才人間興廢底須哀終南清渭明如畫

十八

曾見秦皇漢武來

送客衰蘭又一時奚囊秀句最堪思唐家天子風流甚

留得驪山入小詞

白草黃雲入望哀有人負手此低徊當年種柳人何在

猶說春風歲歲來

漫道籌邊邊已殘而今北固在長安男兒別有神州淚

灑向昏鴉點點寒

戒南北入秦復來蜀仍當南去黔出紙索書賦此

為贈

天邊客比雁先來見說歸心日夜催行卷山川猶漢蹟

舊游閭巷曠秦庆東西南北多歧路盜跖夷齊盡一坏
且喜尚携桃葉女何妨留共菊花杯

：既復十力翁却聘書意有未罄賦此寄之

搖落方悲草木秋離騷還見蕙蘭憂斯人曠古應難遇
稚志即今誰與酬胸鬱玄文何處吐世逢壞劫幾時休
龍門百尺桐枯久漫訝丹山鳳不留

：留樂山五年作

今来何止負嘉州（放翁詩此身不負負嘉州）搖落難為汗漫游山色
青如殘宋舊詩情倍似放翁愁微聞晉帥第圖楚未信
秦師果救周但使虜平綱紀正此身那惜百年留

十九

∴獨笑

放翁七十忍長餓我乃胡為五斗羈已判從人受狙芧未須朝客作搵脂詩書今更廢鄙尔盜跖時猶胠篋之獨笑鐙前誰會得又收荒怪入新詩

∴重九將屆戲為二十八字約簡園邀天閑擢先哲東會於雲巢喫自製糕脩故事也

山霧寒欺落帽風何如醉伴菊花叢吾家故事題糕在試約雙徐与擢公

∴閱日報述常德圍解後慘黷之狀感賦

狂虜圍初合名城力奪回魂傷纏雉堞氣猛鬭霆雷籍

蓿萊滿胃蒞蒞毒炬灰寒窓昏霧裏驚赴眼中來

：癸未除夕

玄冬除此夕憂定幾時蠲婦巧供盤菜兒癡問歲錢（吾鄉風俗除夕以錢頒与兒童曰壓歲）國猶苕繫在身与瀑流遷物色開人意春工好放妍

：甲申立春

一九四四年

甲申

年華似水去無聲憂患如山未可平豈有異材醫國活祗憐癡計畏天傾沈沈北斗橫空轉草草東風取次生尚与鳥烏同覓食鉏耰幸莫負催耕（催耕布穀也鳴聲如日快快插禾）

：負暄

二十

梅花得日長丰神蕙氣迎風自絕塵臂痛頹然負暄坐
暗驚谿壑又回春

・謝翟翊寫真並題其仕女山水畫幀

七處自求無所得飄然空宇一風埃勞君手化恒河水
照取百年皺影來

人間何處有正色自寫嬋娟寄綺思高髻雲鬟唐世樣
蛾眉何必定宜時

為獻緇塵暗宅京獨將荒遠託關荊披圖我見高人意
殘墨江山無盡情（翟云所畫長江橫幅取渝下游景色不畫渝城者嫌其塵囂氣逼人也）

・贈春芳藍君　昔老杜避賊彭衙故人孫宰延至

其家款接周至杜為作詩有誓將与夫子永結為弟昆之句又曰遂空所坐堂安居奉我懽誰肯艱難際諧達露心肝古人一飯不忘之意千載如新予己卯避倭来樂山賃屋竹公溪上居停藍君春芳相遇殷厚今復命其幼子柏森以父呼我竊攀古誼作二十八字贈之

逢君旅泊艱難際奉我安居所坐堂千古彭衙風義在情親昆弟敢相忘

·夢至一亭榜曰天涯四圍深柳作一絕醒而忘其後半因足成之

二十一

垂楊垂柳雨冥冥萬感天涯共此亭忽憶依依漢南樹
更無人處自凋零

·贈吳雨僧教授

滇蜀相望忽八年雲龍欣共聚西天最憐詩得江山助
未許情隨歲月遷譚藝君猶驚衆座藏名我欲棄空筌
此身同被儒冠誤飲啄終慚澤雉賢

··史學系諸生十八人畢業索言為別賦三絶貽之

柯家元史之名高近代梁啓超陳寅恪亦俊髦何事狂言内
藤虎百城坐擁向人驕傅沅叔游日本觀内藤藏書内藤指其所藏吾國文史謂曰貴國文史教師將取才於敝國吳傳聞其言殊憤

治史令人躁与浮斯言蝬叟有深憂（何子貞語見春在堂隨筆其言蓋有爲而發也）疏通知遠名山業老眼何時見此流

大業需才共護持人生各有百年期一尊相屬毋相忘

浪蹴龍門是此時

：：即景　　一九四五年　乙酉

長空雨壓斷雲行急漲黃流与岸平略有微暄晴意在

連村綠樹亂蜩鳴

：：嶺海畫人周千秋及其夫人梁粲瓔在存並出示

鉛畫眉山勝景及鷹揚圖与夫婦合作枇杷羽禽

各題一絕貽之

二十二

海客尋幽興欲顛雙攜直上碧雲端懷鉛不記人間语
来与山靈結勝缘
迅羽凌空瞬萬程雄姿直欲狭滄瀛開圖便似乘鸞去
滿耳天風海水聲
想見清和四月時金丸瑯葉出高枝如何無力薔薇手
却寫芭蕉梔子詩
：將去樂山留別戒于陳君　一九四六年丙戌
陳君有詞癖亭亭非世婆游意兩宋間周晏相娛嬉謂
我略知津視我為篙師從容出妙製斕斑古錦綵我行
半中華所遇鮮瑰琦每驚君意高顧嘯所詣卑大風吹

木葉東西難自持何時重煮酒披豁開心脾此別各努
力相逢豈無期雲水可養真素衣安能緇
：東坡生日安徽大學教授趙壽人王靜伯胡稼胎
諸君分韻賦詩稼胎為予拈得我字遠來索賦 丁亥
神仙不樂居神宮化為廊廟變與龍出入承明更瀕海
光采爚爚經天虹自持高論與世左章蔡安能為公禍
當年四裔仰風流千載文章尚嵯峨趙侯雅興最軼羣
王老詩句香絪縕旗檀絳蠟為公壽元豐笠屐來如雲
胡先好事相纏裹分韻拈鬮遠及我我今衰謝拙語言
恰如弱腕愁強哥 東坡和子由論書詩迹 來又學射力薄愁官笴

二十三

・病榻謝友好存問　予以七月十七日傾跌堦下陷胸折骨遠近朋好存問殷勤令幸復蘇而病骨支離未能踵謝聊憑俚句用答高情

此身久分溝中斷驚絕重蘇已斷魂共命鴛鴦同喚咻

連枝棠棣遠溫存刀圭豈療餘生痛文字徒剩待盡痕

多謝友朋相問訊賸酬深愛託枯言

・：病起謝郭醫　郭名勉齋世為骨科專家

四大皆假合百骸孰控搏忽然號為人住世六十年一朝突破碎散若金鑪烟嗒焉吾喪我寧知神理綿仙人救我臨呼我來雲端援我囊中方一嘸天機全續此垂

盡鐙未知何因緣無乃小游戲遂劫造化權四壁復我
有妻孥復我前花鳥復我娛山水復我妍莊生昔有言
成虧一鼓絃此理且勿論頫首雲中仙

一九〇八年 戊子

：題宋馬遠山水長卷

趙宋江山久化烟馬家墨妙尚流傳披圖方作承平夢
回首人間谷又遷

極天巖壑最澄鮮何處秦餘尚可田安得舉家移畫裏
不知愁水復愁烟

：無名氏畫竹小幅石珊得之冷攤喜而索題

一九〇九年 己丑

与可畫竹竹滿腹東坡愛竹竹勝肉君今得竹出望外

二十四

大喜示我三兩幅風枝雨葉態各殊日射雲烘光煜煜
題詩我更為君喜從此饑腸不轆轆 一九五〇年

·題觀民熊君藏傅青主祈神獲藥療父文墨迹 庚寅

靈瑣曼曼未可知神丹艴艴亦何奇先生最有難能處
却在寅恭鞠跽時
屬驥高標我所師曾於遺翰見威儀斯文字字堪傳信
為報詩翁好護持

·前有傅餘習翁於上月廿五日化去者予曾有詞
挽之比晤其弟子申甫何君始知中秋前後尚得
翁詩札喜極賦長句寄翁既以為解且致祝焉 辛卯 一九五一年

閒君詩筆猶軒舉失喜脩文是誤傳頗似亡書歸故篋
更同古井躍新泉勞勞塵夢原多幻炯炯玄明自不遷
歲晚雪霜那欺得試看苔幹發春妍

‥今歲四月綺塵六十初度予塵以寸牋致賀念不
可無文字申友朋之誼補作四絶句寄之 一九五二壬辰 鄭

故人萬里風塵隔精感能憑文字通屈指已周新甲子
捧觴想見舞衣紅
滇池風物應宜老所恨無人話舊游遲日軒窗雙白鬢
彩毫眉樣憶從頭
六十年來世變新巋然一老不隨塵吟懷好在須珍重

二十五

擊壤康衢要有人
起元貞下從今卜人事天心若可符他日歸尋雞黍約
玉顏喜見小孫扶

．．挽餘習翁 一九五三年 癸巳

談玄談藝兩心傾撒手何堪便隔生高詠豈期流俗重
奇懷早覺世緣輕結隣佳約俱成夢失侶孤蹤自暗驚
賸對晴窗舊時畫依稀猶見和詞情（往以紀夢詞索翁畫夢中境承惠小幅並和拙詞）

．．挽劭襄

萬丈虹蜺氣未申一棺收斂入空窀人間有恨無過此

我輩相知況寡倫見說瀕遷不驚怛定緣學道得精醇
誰憐垂老交游盡北望燕雲淚滿巾

・答和宴池海上見懷韻　一九五四年 甲午

問訊音書動隔年新詩一誦一淒然由中離思多於海
畫裏前游邈似天送老江山渾甚處懷人風雨莽無邊
從今收拾飛揚意準擬東湖學刺船

・・劬翁下世後予曾貽書甲櫻兄妹索翁所嘗讀書
以慰我思久不見寄詩以訊之

明窓久絶故人書惚恍遙疑病未除忍念豪情曾蓋世
懸知劇病尚懷予百金劍已霾幽隴千里駒仍困阪車

二十六

翁嘗以千里駒目我雖一時戲語可傷也手澤何時能寄与莫教老眼望長虛

：何君中甫自長沙肆上得先祖遺墨出以相貺敬

謝 一九五七年

武慎非書人染翰乃餘事方其適意時揮灑聊自娛中
年绝雄健顏柳通勝寄晚歲更遒上游刃及今隸九宮
紅絲闌日課類童稚憶昔池北堂藏弆盈篋笥自經倭
亂後文物悉散墜極書与遺墨存想勞夢寐何君洵雅
士蘭茝自服媚有時動高吟柔條發春翠昨從瀟湘歸
閱肆獲珍秘謂言翁家物舉贈增感喟晴窗敬展誦風

魏見溫睟嘉誼矢弗諼俚歌愁報餽
之大軍建設祖國如日長昇歲長春
．．我過儻能補
前年哭天閔今年哭先午我友日去我我心日酸楚我
年及耄荒積青如積羽所恃惟友朋規我不我怒天閔
我故友窺我洞肺腑謂我非顓愚失或過莽鹵先午最
淵默中實具城府偶尔發機栝射六常中五兩友復阿
好譚蓺輒相許我鼓自知明顛狂漫誇詡所學之時用
薄今而厚古今古兩昧蒙陸沈兼盲聾我黨知我病謂
言當救汝汝其敬聽之良藥必口苦日昨大鬭爭攻短

共鳴鼓我如中矢禽驚竄失藪圍又如御鉤魚腥沫不
得吐自怨自作愧自痛自循撫黨實遇我厚我自設穽
罟穽深罟網密一陷難掙舉不有大力挽我必長朽腐
回思直諒友赧汗下如雨由也喜聞過拜善有大禹我
豈鈍如椎而不別良楛誓當效故轍努力追前武餘年
未即盡我過儻能補

十一月十二日約孚尹泛湖至公園小花市看菊
飲於聽濤酒家孚尹有詩見示依韻奉酬

山徑日高嵐翠暖湖心雲斂鏡奩開不知腳力衰多少

扶杖猶能領客來

勝侶相呼忘病懶 老身易醉怕銜杯 菊芳魚美人情好

記取明秋第九回（東湖公園菊花展覽今為第八回花品較往年為勝是日食鯿甚肥美）

・・

舊歷十月廿二日惠君六十周甲歌此為壽

六十年來憂患身 同君呴濡最艱辛 喜從地覆天翻後

垂老相偕作幸民

垂老相偕作幸民 眼中何物不逢春 願如兒女稱觴祝

君似靈萱我似椿

君似靈萱我似椿 待看玉燭更調辰 自然煦育能長久

不用熊經與鳥伸

二十九

·前与孚尹泛湖看菊有託取明秋第九回之約偶閱樂天趙村看杏七十三人難再到今春来是別花來詩明年予亦七十三感賦一絕

年年看菊成佳例今歲興高菊更奇明歲我年齊白傅未須便賦別花詩

·今年夏武漢奇旱東湖之菊定被旱傷予亦病足不出戶者三閱月回憶去年与孚尹東湖看菊之約用前韻作二絕呈孚尹

一九六〇年 庚子

滿意今年秋色好不道今年旱最奇我与黃花同病苦那堪重憶看花詩

明年花好人仍健應為秋花一吐奇且与先生訂新約買花沽酒共吟詩

・・讀孚尹与我商討屈賦篇章疑信一文戲為三絶句以解嘲孚尹主信我主疑故孚尹自稱為古人作防禦不容我懷疑並信今傳章由本即劉向所輯我則以為經後人改編者其說詳拙著屈賦學五種之一及五論國殤与九辯

何勞傳信与傳疑等向虛空織縷絲（見高僧傳述鳩摩羅什与其師盤陀達多辯論大小乘事）更乞先生下轉語烟墨能言孰聽之（孚尹文有烟墨無言誰能定其是非者語）

君誇墨守我輸攻旗鼓堂堂各自雄笑煞拔奇袁園叟
但將吹萬付天風
我亦當年摸象師每欣酌海自傾蠡何意正名孫祭酒
辛勤猶為闢奇辭字尹援菊卿正名篇語謂我亂名改作

·秋陽正熾報社孫李二記者觸熱造門訪問吾家
彥和文心義座間忽得涼雨頃襟頓浣卒占四句
貽二君 一九六二年

哲語千秋原皎日彌天何忽障癡雲頃襟喜得涼飈浣
聊復為君誦所聞

·湘弟月夜見懷作小詞寄示因以五十六字書近

沈侯新之

清宵對月君思我白日看雲我憶君幸獲餘齡同飽飯
怕逢閒客强論文眼昏大字書能讀量減深尊酒易醺
更喜新茶忘老法行歌不逐少年羣宋白亦荆公抛書遠少年之意也

：：再寄湘弟

詩讖傳遞湧紛紛癡絶誰如我與君幾輩從他笑劉白白居易呈劉禹錫詩聞道洛陽人盡笑呼為劉白二狂翁一廛何日聚樵雲莫緣皓
首悉稽古要向青鐙共策勳萬里烟霄最空闊羨他接
翅鴈成羣

：：湘弟重九口占有游園不減登高興籬菊何如秋

三小一

圃菘的小重九又有並無雞蟹供延賞嫩比羔豚
只有菘的喜其語意清逸賦答一章
晡否炙蒲蒸瓠壺至人嗜好与世殊我今誦君重九咏
高致頗足追前模古稱窮後工言語誰知窮語含芳腴
苦樂同門復同域優施何者歌菀枯

予平生不常作詩此卷所錄乃違難樂山及解放以後之稿其中有可与誦常詞互見者有可補詞所未及者存之亦可見予生活之片段因錄附詞集後聊以自備省覽云尔

一九六一年辛丑二月永濟自記

把君詩卷沁心脾雅韻欲流句自奇唐宋何曾分畛域从知功力見鑪鎚世變艱辛悰緒多新聲新國最甚歌詞賦嘉音詩亞敵陳將留遠換蹉跎

君樂府追姜白石詩亦如之

席啟駉讀後題記

# 默識錄卷二

# 默識錄卷二

## 姜宸英論誦詩

姜宸英湛園劄記謂：「孔子言『誦詩』，孟子亦言『誦詩』。誦之者，抑揚高下其聲，而後可以得其人之性情與其貞淫邪正，憂樂之不同，然後聞之者亦以其聲之抑揚高下也，而入於耳而感於心，其精微之極，至於降鬼神，致百物，莫不由此，而樂之盛衰莫逾焉。當時教人誦詩，必各有其度數節奏，而今不傳矣。」按誦本徒歌，徒誦樂章而不以琴瑟伴

淳輝閣製箋

加一條

奏、樂章原有度數節奏、誦者依之、非別有度數節奏也。屈子之賦即誦、詳予屈賦通變序論。今世有詩歌朗誦、殆即古誦詩之遺法歟。姜氏此論可為朗誦詩者之法。

閻若璩論懷沙

閻若璩四書釋地三續無求生以害仁一條曰：「屈原懷沙賦曰：「知死不可讓，願勿愛兮。」洪興祖補注：「屈子以為知死之不可讓，則舍生而取義可也。所惡有甚於死者，豈復愛此七尺之軀哉。」朱子謂其言偏，然可立懦夫之氣。」按

施閏章論女嬃為嬋者之說以

施閏章矩齋雜記女嬃條，舉朱子通考注「比來注者謂女嬃為屈原姊，然初不可考，且相沿既久，後人作詩，往往曰：天上有須女星，主管布帛嫁娶。人間使女謂之須女者，有急則須之謂。故易曰：歸妹以須，反歸為娣，言須乃賤女，及其歸也，反以作娣。娣非居妃之次。若國君一娶九女，娣姪次之，後人加女旁於須下，嬃娣姪之文古不從女，後人多加女於之旁也。漢呂后妹樊噲妻名呂須，蓋古人多以賤名子女，祈其易長之意。生女名須，猶生男名奴耳。屈所云「女嬃」疑從上文美人生端。「女嬃」謂美人之下小輩，見美人進善，輒亦多端詬詈。「嬋媛」嘽之態，如「申申」所詈不一辭也。丈夫不能遭時遇主，建立奇功，致使小人

此段議論可謂能識騷人之情，知世有疑屈子沉湘者，觀此可以釋然矣。

黃徹論杜甫得孟子所存

黃徹䂬溪詩話卷一曰：「孟子七篇論君與民者居半，其餘欲得君，蓋以安民也。觀杜陵『窮年憂黎民，歎息腸內熱。』『胡為將暮年，憂世心力弱。』花石戍云：『誰能叩君門，下令減征賦。』寄柏學士云：『幾時高議排金門，各使蒼生有環堵。』『寧令吾廬獨破受凍死亦足』而志在『大庇天

淳輝閣製牋

揶揄，反來攻君子之短，披敝君子逢世之策，斯亦足悲矣」
袁枚隨園隨筆卷十九女姿之訛條引施誌，仍以說文許注引賈侍中說為原始，及水經注引袁崧稱歸郁因原始歸而名縣之語施為山不致實。今按施不以女姿為屈原姊，引天工女媭星名及呂媭訓之，是如娥又以為女子賤稱諸人向使女謂之彼女作此方為訓係不通申女名須為長者名殺皆祈其角卷，則出臆斷。其稱鄙賤此系女而亦謬。玉袁枚疑施仍依舊說無所表明尤為固守前不可訓。

下寒士」。其仁心廣大，異於穴之螻蟻，眞得孟子所存矣」。按老杜自比契稷之心，黃氏得之矣。

東坡論鯀悻直

東坡志林卷三史記舜本紀條云：「鯀悻直以亡身」，則鯀蓋剛而犯上者耳。」按東坡以鯀為剛而犯上，是也。悻直即剛直，亡應作忘，蓋剛直犯上者忘身之利害也。屈賦此句，後人誤解者多。東坡能見及此，較諸家已優，但未知亡身為忘身之誤。

### 陶公之真

胡仔苕溪漁隱叢話前集卷上東坡云：孔子不取微生高、孟子不取於陵仲子、惡其不情也。陶淵明欲仕則仕、不以求之為嫌、欲隱則隱、不以去之為高、飢則叩門而乞食、飽則雞黍以迎客。古今賢之、貴其真也。卷十九又記蔡寬夫詩話亦稱淵明當憂則憂、遇喜則喜、忽然而憂樂兩忘、則隨所遇而皆適。按此二說皆佳。東坡以一真字評陶公尤佳。他人不免有時為事勢所迫、或出計慮而生避忌、陶公則何思何慮。故

淳輝閣製箋

終一任天真，其冠古今以此。

沈呂王李爭論韓詩

前書卷十六記隱居詩話云：「沈括存中、呂惠卿吉甫、王存正仲、李常公擇，治平中同在館下談詩。存中曰：『韓退之詩乃押韻之文耳，雖健美富贍而格不近詩。』吉甫曰：『詩正當如是，我謂詩人以來未有如退之者。』正仲是存中，公擇是吉甫。四人交相詰難，久而不決。公擇忽正色謂正仲曰：『君子群而不黨，公何黨存中也。』正仲勃然曰：『我所見如是，顧豈黨

邪！以我偶爾同存中，遂謂之黨，然則君非吉甫之黨乎？」一座
大笑。」此亦詩史中一段佳話也。

## 宋代詩禁

葉石林避暑錄話卷二論詩賦云：「政和中大臣有不能為詩者，
因建言詩為元祐學術不可行。李彥章為御史承望風旨，
遂上章論陶淵明、李杜而下皆貶之，因詆黃魯直、張文潛、
晁無咎、秦少游等，請為科禁。時何丞伯通適領修敕令，
因為科云：「諸士庶傳習詩賦者杖一百。」或問刑名將何

施伯通無以對。又捫蝨新話云：宋自崇寧以來時相不許士大夫讀史作詩。何清源至於修入令式。本意欲崇尚經學，痛抑詩賦耳。于是庠序之間以詩為諱。政和後稍復為之。止按此事可謂千古奇聞。蓋統治者惡人議諷遂不惜為此可怪之舉。烏臺詩案已為文學史上一段奇事，為未至著為法令，後世因文字獲罪至於滅宗者，未始不由此階之也。

秦黃蘇三公學養不同

冷齋夜話記少游責雷州、山谷責宜州、東坡南遷詩句，可以見三人學養性情不同。少游詩曰：「南土四時都熱，愁人日夜俱長。安得此身如石，一時忘了家鄉。」山谷詩曰：「老色日上面，懽悰日去心。今既不如昔，後當不如今。輕紗一幅巾，小簟六尺牀。無客盡日靜，有風終夜涼。」少游情鍾，故詩酸楚。魯直學道，故詩閒暇。至東坡則云：「平生萬事足，所欠惟一死。」英特邁往之氣，可畏也。按山谷黔南十首，皆取白樂天詩語以見意，非其自作。

杜甫戲為六絕句中之「今人」與「爾曹」不同
杜甫戲為六絕句解者係如尤於「今人」與「爾曹」所指者，分別不清，遂生誤解。按此六首乃老杜之詩學繼承論及發展觀也。詩中「今人」指唐詩人輕視六代詩者，如陳子昂、李白等之放言高論，一味抹殺六代詩家；而老杜所稱「爾曹」則天下一等人包括訕謗自己之人在內，即韓愈所稱「蚍蜉撼大樹，可笑不自量」者，皆時必有此等人也。詳見予唐人絕句詩精華注釋。

杜甫用前人詩句

杜甫小寒食舟中作詩，仇兆鰲詳注引黃魯直評曰：「船如天上坐，人似鏡中行。」又「船如天上坐，魚似鏡中懸」，皆沈雲卿詩。老杜「春水船如天上坐」，乃祖述佺期語。又引林時對評曰：「春水二句亦襲用前人句也。」此用前人句而以己意損益之也。又有全用前人句而以己意貼之者，如沈雲卿詩「雲白山青千萬里，幾時重謁聖明君。」杜云：「雲白山青萬餘里，愁看直北是長安」是也。按雲白句是杜全用沈句。

今本作萬餘里、恐误。船如天上坐、係五言、杜加二字用之。林所謂以己意損益之也。雪白句本七言、杜用之無必要改其一字、且所改不如原句、故疑其误。林字假颺、號蘭庵、明崇禎進士、官至右副都御史、國變後杜门不出、著有诗史。

通俗之词感人勝於文言之诗

陳郁藏一话腴记趙匡胤微時作詠日詩云：「欲出未出光辣撻、千山萬山如火發。須臾走向天上來、趕卻殘星趕卻月。國史補節之云：「抑離海嶠千山黑，纔到天心萬國明。」謂其文氣卑弱，不如元作。又文瑩湘山野錄載吳越王錢鏐回故鄉宴父老，作還鄉歌以娛賓曰：「三節還鄉兮挂錦衣，吳越一王駟馬歸。臨安道上列旌旗，碧天明兮愛日暉。父老遠近來相隨，家山鄉眷兮會時稀。斗牛光起兮天無欺。」時父老雖聞歌進酒，都不之曉。錢鏐亦覺其歡意不甚浹洽，再酌酒高揭吳音唱山歌以見意。詞曰：「你輩見儂底歡喜，（原注：吳人謂儂為我。）別是一般滋味子，原注吳呼味薺癖水在我儂心子裏。」歌闘、合聲唇齒贊、叫笑振席、歡感閭里。」從此二事觀之、通俗之詞、感人勝於文言之詩、但要視其用在何時何地、不得其時地、則必失詩之功用。

庾信刀銘可作高鑪出鐵頌詞用

庚子山刀銘曰：「風伯吹鑪、雲師鍊冶。鐵踐朝流、金精夜下。價重千城、名高千馬。」按此銘鑄辭極奇詭、前四句可作高鑪出鐵頌詞。

## 梅聖俞論詩

歐陽修六一詩話記梅聖俞論詩曰：「詩家率意而造語，亦難，若意新而語工，得前人所未道，斯為善也。必能狀難寫之景，如在目前，含不盡之意，見於言外，然後為至矣。因人問乃舉嚴維「柳塘春水漫，花塢夕陽遲。」謂天容時態，融和駘蕩，豈不如在目前乎。又若溫庭筠「雞聲茅店月，人跡板橋霜。」賈島「怪禽啼曠野，落日恐行人。」則道路辛苦，羈愁旅思，豈不見於言外乎。」按梅所舉溫、賈詩句，雖純是景語，而情在言外。由此可見作者之思想、感情与客觀事物，爲作者主觀所反映，同時即有作者在內。古今詩話家每喜舉詩人寫景佳句而未言其故，觀梅氏之論，可以悟矣。

## 李白之樂府學

太平清話記：東君年十一，賦銅雀臺絕句，李太白大歎，授以古樂府之學。按太白長於古樂府，成專門之學，故能以之教人，惜已無從知其緒論矣。

# 王士禛記劉三妹事

「王士禛池北偶談卷十六有記粵風續九條，載劉三妹善歌事云：『唐神龍中有劉三妹者，居貴縣之水南村，善歌，與邕州白鶴秀才登西山高臺為三日歌。秀才歌芝房之曲，三妹答以紫鳳之歌。秀才復歌桐生南嶽，三妹以蝶飛秋草和之。秀才忽作變調曰朗陵花，詞甚哀切。三妹歌南山白石，益悲激若不任其聲者。觀者皆歔欷。復和歌竟七日夜，兩人皆化為石。在七星山巖上，下有七星塘，土人風月清夜，猶彷彿聞歌聲焉。同年睢陽吳淇（冉渠）為潯州推官，采錄其歌為粵風續九，雖侏儒之音，特與樂府子夜讀曲相近。按近劇場有演劉三姐與秀才賭唱事，即此。但吳氏粵風續九一書未見，不知尚存否。所記芝房之曲、紫鳳之歌，遂亦無從得見。觀其所舉歌名，似非可以侏儒目之，豈經吳氏文飾而然耶。至稱化石，則出附會，記此以俟訪求。

王士禛記粵西民歌亦見朱彝尊靜志居詩話

淳輝閣製牋

王氏又記粤西民歌有妹相思曲曰：「妹相思，不作風流待幾時。只見風吹花落地，不見風吹花上枝。」又見朱彝尊靜志居詩話卷二十四，另一首曰：「妹相思，蜘蛛結網恨無絲。花不年年長在樹，孃不年年伴女兒。」朱氏又記廣東歌堂詞，有送別三首，其一曰：「歲晚天寒郎不回，廚中烟冷雪成堆。竹篙燒火成長炭，炭到天明半作灰。」亦饒有古樂府意。堂詞者，送新嫁孃之詞也。

## 格詩之義

白居易自定其詩有格詩與律詩之目。天聞昔嘗舉以見詢，我亦不能。頃閱姚培謙李義山無題詩注，謂：「義山古詩多齊梁體，即所謂格詩也。」豈齊梁體古詩與尋常古詩有異，齊梁古詩而不失格律，遂名格詩歟。

用外來語作詩及外國人詩

中山詩話記余靖兩使契丹，虜情益親，能作胡語。詩曰：「夜宴設邏（厚盛也）臣拜洗，（受賜也）兩朝厥荷（通好也）情感勤。（厚重也）微臣雅魯（拜舞也）祝若統，（福祐也）聖壽鐵擺（嵩高也）俱可忒。」（無極也）按韻語陽秋載此詩，設作沒

淳輝閣製牋

感作粹，譯音微異也。韻語陽秋又記沈存中筆談載刁約使　卷廿五
契丹戲爲詩云：「押燕移離畢，看房賀跋支。賤行三匹裂，密
賜十貔貍。」離畢如中國執政官，賀跋支執衣防閤人，匹裂小
木罌，貔貍形如鼠而大，狄人以爲珍饌。」按所記疑有誤字，如賤
行當是餞行，看房亦不可解。又按全唐詩卷七百三十二有
南詔驃信詩一首，南詔清平官趙叔達詩一首，今録於此。南
詔驃信（南詔酋也）星回節（南詔以十二月十六日爲星回節）游避
風臺與清平官（唐書南詔官曰清平者，猶唐之宰相）賦：

御「避風善聞臺，（南詔別都曰聞善）極目見藤越。（鄰國之名。）悲哉古與今，依然烟與月。自我居震旦，（謂天子為震旦。）翊衛類夔契。伊昔頸皇運，艱難仰忠烈。不覺歲云暮，感極星回節。元昶同一心，（謂朕曰元，謂卿曰昶。）子孫堪貽厥。」又趙叔達星回節避風臺驃信命賦曰：「法駕避星回，波羅毘勇猜。（波羅，虎也。毘勇，野馬也。）驃信昔年幸此，曾射野馬與虎也。）河闊冰難合，地暖梅先開。古今俚柔洽，（俚柔，百姓也。）獻琛弄棟來。（弄棟，國名。）願將

淳輝閣製牋

不才質，千載侍游臺。」此二詩嘗經國人潤色，原注以宸旦爲天子非也，此指中國，頸皇無注，不可解。

杜甫用古

何遜贈諸游舊詩有「岸花臨水發，江燕繞檣飛」句，杜甫「岸花飛送客，檣燕語留人」句意頗同，而臨水繞檣，即含送客留人之意。何詩語意未申，杜爲發之耳，此可悟用古之法。

絕詩誤字

鮑照擬古詩「秋螢扶戶吟」句，予疑螢非能吟者，必係蛬字之誤。觀下句「寒婦成夜織」句可証。此字王士禎、翁方綱、沈德潛選本均未指出。

謝詩注誤

謝靈運從游京口北固應詔詩「昔聞汾水遊」句，注家以莊子堯見四子藐姑射之山，汾水之陽說之，疑用漢武秋風辭「泛樓船兮濟汾河」事。漢武故事，帝幸河東，祠后土，顧視帝京，忻然，中流與羣臣飲讌，自作秋風辭，其事與宋武游京口北固命臣僚賦詩相類，故謝引用之，未藝文類聚卷九有謝朓、江革、王融、沈約阻雪連句，即每人作四句。法稱「聯句」哉，同泳七人，各賦絕句，意義相附，而不相犯，亦不往來酬答，是以聯句，蓋宋齊間體也。至唐則有人詠一聯兩句，周而復始合成長篇者，據此聯句之始，其體蓋如此。

必用莊子。注家以謝好用莊子語，故忘漢武事。

古人聯句各作四句者，可分為絕句若干首。范雲與何遜聯句曰：「洛陽城東西，卻作經年別。昔去雪如花，今來花似雪。」王士禛五七言詩選即以為五言一首。

顧炎武強記

王士禛古夫于亭雜錄稱：「顧寧人號強記，在京師，一日會於邸舍，余謂之曰：『先生博學強記，請誦古樂府蛺蝶行一過，當拜服。』」顧即琅琅背誦，不失一字。蓋此篇聲字相雜，無以讀，又無文理可尋，最為難讀故也。」按此詩見郭茂倩樂府詩集卷六十一雜曲歌辭，其辭曰：「蛺蝶之遨遊東園，奈何卒逢三月養子燕，接我苜蓿間，持之入我紫深宮中，行纏之傅欂櫨間，雀來燕，燕子見銜哺來，搖頭鼓翼，何軒奴軒。」

王士禎亦知專主神韻之失而未能救。

王氏蠶尾續文曰：「自昔稱詩者，尚雄渾者則鮮風調，擅神韻者則乏豪健。」按漁洋此語，似其晚歲亦感專重按袁枚隨園隨筆謂：「世謂誤以杜所指郭子儀為楊釗（即國忠原名）。攷舊唐書玄宗紀天寶十三載二月右相楊國忠守司空，則非郭子儀也。」

神韻之失，而其作風終未能改，何耶？」

王氏識杜甫自爲矛盾之非

王士禎因杜甫進封西岳賦表有「維岳授陛下元弼，克生司空」之語，謂：「杜所謂元弼司空，謂國忠也。國忠以椒房進，實緣三公，天下知其非據，而甫獨引大雅甫申之詞以諛之，可謂無恥。他日作麗人行，又云：『慎莫近前丞相嗔』，乃自爲矛盾。」按王訾杜未免太過。賦表序乃進奉文字，君方封岳，不得訾議大臣。麗人行則詩人自道其志。兩者體用不同，何謂矛盾。至或以為表中所稱司空未必是楊國忠，則出愛護杜公之為，此等處正不必為古人諱。

## 陽關三疊

予幼時在池北草堂藏書中見一書名陽關三疊，記其疊法兩種，而忘其書為何時何人所著。抗日戰起，予回里，見堂中藏書盡失，查叢書彙編，知是書曾收入三續百川學海，而三續百川學海一書不易得，故迄今未再寓目。今記其二疊法于此：其一曰：渭城朝雨，渭城朝雨浥輕塵，浥輕塵。客舍青青，客舍青青，青青柳色新、柳色新。勸君更盡、勸君更盡一杯酒、一杯酒。西出陽關、西出陽關無故人、無故人。」其二曰：「渭城、渭城朝雨、渭城朝雨浥輕塵。客舍、客舍青青、客舍青青柳色新。勸君、勸君更盡、勸君更盡一杯酒。西出、西出陽關、西出陽關無故人。」皆每句三疊、誦之得宛轉之趣。凡絕句皆可以此法疊之成長謳也。近查中國叢書綜錄有明田藝蘅著陽關三疊一卷、收入說郛續第三十二卷中，其書除類集詩詞中涉及陽關曲者外、以意定三疊法。有曰：「陽關連環三疊者、以四句同環排列。有曰「陽関四疊」者、以第四句疊唱之。有曰「陽関依依三疊」者、以依依傳。依依析氏（字倚玉）依依唱之也。有曰「陽関三疊琴操」者、未举例。有曰「陽関貫珠三疊」者、既分一為四、復會四為一、如一串珠也。有曰「陽関飛花（滚）三疊」者、大氐皆田氏所為、其中惟所謂飛花滚三疊、与唐人唱法同、即我所記第一疊法。又其串珠三疊、似合古法。其法如下。「渭城朝雨浥輕塵、浥輕（朝雨）塵、浥輕塵」、皆每句三疊、与上記二疊法異。

刺剌字音義

胡鳴玉廷佩訂譌雜錄卷四剌剌條曰：「昌黎送殷員外序『丁寧顧婢子語剌剌不能休。』剌字音戚，字从朿，音次刺从朿。方崧卿注：『洪慶善云：「剌音盧達反，樊澤之曰：剌七迹反。」若如洪讀，則以戾音利為義。顧婢子語何戾邪？潘岳閑道謠，「和嶠剌促不得休」，語意皆同，此當以七迹反為正。予見今之習韓文者多讀為辣辣，不能休，故條方注如此。』」按予詞有「山僧剌剌，我自天風生兩耳。」或以韓文應讀辣辣，疑我誤讀，今閱此條，知我非誤。

## 誦帚非誦姜石帚 此條應移入卷三

予覽誦帚，人多誤以為誦石帚，不知此出唐沙門釋道世法苑珠林見解篇第十七，分別功德論第十三云：「所以般陀比丘暗鈍，然能變形第一者，良由佛教使誦掃帚，得掃忘帚，得帚忘掃，六年之中，專心誦此，意遂解悟，而自惟曰：帚者慧，掃者除，慧者即喻八正道，糞者喻三毒垢也。以八正道慧掃三毒垢，所謂掃帚義者，正謂此耶。深思此理，心即開解，得阿羅漢道。」王介甫偶書詩亦用此事。

诗云："慧施说万物，槃特忘一句。寄语读书人，汲汲非勝負。"
李壁注引楞嚴经，其言尤详。经曰："周利槃特伽，此云蛇奴。善見律又翻為路旁生。曾為大法師，有五百弟子，秘吝佛法，不肯教人，得暗鈍報。以宿善故，遇佛出家，五百比丘，同授一偈，经九十日，不记隻字。"又说："其兄盤伽先已得度，而槃特賦性愚鈍，為兄所逐，出门涕泣。如来知其根熟，付与掃帚，曰使掃地，教诵掃帚二字，得前忘後，得後忘前，思惟日久，因有發明，曰：'掃除喻八正道，塵糞喻三毒垢，'

埽帚義者，已謂是矣。予之名此，亦以暗鈍故，且願一埽塵垢耳。亦兼有介甫詩意，所謂吸吸而騰處也。

## 知人難於論世

自孟子提出知人論世，後來研讀古文學之人，莫不重視。然知人難於論世。蓋古今相去日遠，古人之學術思想，古人所讀何書？何種學術形成其指導思想？何種學術思想與其指導思想相交織？不易全部明曉。此其一。古人之生活習慣與爾時風俗，亦與今世不同，時世遠隔，易生誤會。此其二。前者姑不論，後者如溫庭筠菩薩蠻之「小山重疊金明滅」句，不知係臥榻枕屏上之金碧山水，此句中以小山重疊明人去之遠，以金明滅明別時之久。有誤認小山為眉樣，金明滅為日光者。又李賀詩有「沈香薰小象」乃象形之香爐，而顧貞觀彈指詞誤作小像用。如此之類甚多，不能備舉。彈指詞南鄉子「無計與傳神，小像沈香只暗薰」，蓋據誤本李詩象作像也。

詩詞有與古人偶合者

予詞有「難拋身外無窮事，補讀人間未見書」之句，未見書，謂馬列主義之書也。須閱朱彝尊靜志居詩話卷二十三，載僧守仁詩，有「畫拋身外無窮事，遍讀人間未見書」句，未見書，蓋指佛典，而誰拋與畫拋只一字之異，而意大別，如不知出於偶合，必疑予盜彼句。因悟古人嘗亦有之，南唐江為有「竹影橫斜水清淺，桂香浮動月黃昏」句，宋林和靖詠梅，只易竹為疏，易桂為暗，遂成名句。或由偶合，或出有意，皆不可知。

詩人有同用一事而非蹈襲者

鄭孝胥海藏樓詩集，有癸亥七月入都詩曰：「世棄天留等可哀，黍離荊棘又待來。還從銅輦尋殘夢，早向昆明辨劫灰。」是年十一月宣統被迫出宮[illegible]予詞有譏鄭妄欲倚日本之力，恢復清室已亡之業」一首，亦用秋衾夢銅輦，李長吉詩也。初不知鄭亦用此，可知同用一事者，詩家之常，注家每好言某句出某人詩，未必可信。予詞有「誰憐銅輦秋衾夢，終作銀臺畫燭身」之句。

楊升庵合陳后山二詩為一

胡仔苕溪漁隱叢話卷五十三引王直方詩話「后山放歌

行二首：其一曰：「春風永巷閉娉婷，長使青樓誤得名。不惜卷簾通一顧，怕君著眼未分明。」其二曰：「當年不嫁惜娉婷，傅白施朱作後生。說與旁人須早計，隨宜梳洗莫傾城。」平步青霞外攟屑卷八謂：「陳詩凡兩絕句，升庵刪合為一。康熙字典女部婷字下本之。隨園詩話卷十一正錄前篇，不知後篇意尤深遠也。」按升庵刪合一首曰：「當年不嫁惜娉婷，傅粉施朱學後生。不惜卷簾通一顧，怕君著眼未分明。」似較分作兩首為佳。又按字典引又杜甫「不嫁惜娉婷」句，似陳詩緣杜句引申者。因記宋張先一叢花令歇拍曰：「沈恨細思，不如桃杏，猶解嫁東風。」賀鑄芳心苦亦有「當年不肯嫁春風，而今卻被秋風誤」句，皆即杜甫五字而反復言之，以見意者。此類亦可謂讀古有得，而一意翻騰者可比。

王安石不乘輿

苕溪漁隱叢話卷三十七，記冷齋夜話，載荊公答人勸乘肩輿曰：「古之王公至不道，未嘗以人代畜。」按王安石此言甚是，然讀其詩、頗亦有乘輿之事。如溝港詩曰「深巷重々柳、山根處處梅。小輿穿麥過、狹徑礙桑回。」又誰將詩曰「誰將石黛染春湖、復撿黃金作柳條。西崦東溝從此好、筍輿追我莫辭遙。」又法雲詩曰「有扶輿度缺水、窈窕一川花。」光宅寺詩有「翛然光宅淮之陰、扶輿獨來坐中林。」又臺城寺側獨行詩曰「獨往獨來花下路、筍輿看得緣成陰。」則非未嘗不乘筍輿也。其曰筍輿追我、是人以筍輿隨公、公則步行也。扶輿者、猶扶杖之意。蓋公居金陵時、以故相兼年老、出游易倦，故備筍輿以代步也。然亦可見實踐之不易，而論人者當窺其全。

踐言不易之例

陸游有龜堂獨坐詩。其二曰：「兩手龜拆懶出袖，閉戶無帷坐清晝。朝陽破雲雪漸消，點滴無窮駐簷溜。士生百行雖相輔，第一要能安飯糗。詩書幸可教兒童，勿使後人憐晚謬。」按此詩作于嘉泰二年春，先生年已七十有八家居時。是年春後有食不足戲作詩，有「分司祿在終難取」句。自注：

「御監致仕當得分司祿，須自請乃給，遂置之。」但五月復得台以元官提舉祐神觀，兼實錄院同修撰，兼同修國史，免奉朝請。六月入都，此時韓侂胄方用事，先生被迫為作南園記、閱古泉記，見譏清議。朱子曾言：「其能太高，其迹太近，恐為有力者所牽挽，不得全其晚節。」先生此詩，係未被召前所作。来由云云，竟不能躬踐，卒貽晚謬之譏，何邪！于以知踐言之非易。

羚羊挂角

羚羊挂角，無迹可求，本釋氏語。王漁洋論詩，最喜用之。其香祖筆記有一條於此二語後，引古言云：「羚羊無些子氣味，虎豹再尋他不得著。」此即前言注腳。司空圖之不著一字，盡得風流，亦即此意。蓋以空靈為主，語似神妙故四庫提要譏其縹緲無著也。

阮籍登廣武而歎非謂沛公

苕溪漁隱叢話卷二十四，東坡云：「先友史經臣彥輔謂予，阮籍登廣武而歎曰：『時無英雄，使豎子成名。』豈謂沛公豎子耶？」予曰：「非也，傷時無劉項也。豎子指魏晉間人耳。」其後予游京口甘露寺，有孔明、孫權、梁武、李德裕之遺迹。予感之賦詩，其略曰：「四雄皆龍虎，遺迹儼未剝。方其盛壯時，爭奪肯少安。廢興屬造物，遷逝誰控摶。況彼妄庸子，而欲事所難。聊與廣武歎，不待雍門彈。」則猶此意也。今日讀李白登廣武古戰場詩云：「沈湎呼豎子，狂言非至公。」乃知李太白亦誤認嗣宗語，與先友之意無異也。嗣宗雖放蕩，本有志於世，以魏晉間多故，一放於酒，何至以沛公為豎子乎。」按東坡之言是也。予昔亦有詞曰：「蠛蠓鵾鵬各有天，成名何必定英賢，頗疑狂阮未超言。」此意又與東坡不同。蓋我以英雄原無定論，阮公心目中之英雄，非魏晉諸人心目中之英雄，亦猶蠛蠓之視天，與鵾鵬之天池，雖大小不同，亦各以為天也。寄興之言，要非史論。（阮亦興寄之辭，故曰未超言。）李白之言亦未必與史經臣之說同。

宋時已有種齒法　此條應移入其三

陸游詩有「染鬚種齒笑人癡」句，〈歲晚幽興〉自注：「近聞有醫以補種植齒為業者。據此則此術我國千年前已有之，但未知其法若何。種齒二字，較今言鑲牙為雅。

虜瘡　此條應移入卷三

袁枚隨園詩話卷二，虜瘡條曰：「蘇州名醫薛生白曰：西漢以前無童子出痘之說，自馬伏波征交趾，軍人帶此病歸，曰虜瘡，不名痘也。」語見醫說。又文苑英華載頤以陳黯年十三，袖詩見清源牧。其首篇詠河陽花，時痘痂新落。牧戲曰：「汝藻才而花面，何不詠之？」陳應聲曰：「玳瑁應難比，斑犀點叓匣嘉，天憐未端正，滿面与紫花。」似此為痘痂見歌咏之始。

劉獻之目屈原為狂人　篠庭入考三

梁書劉獻之傳，獻之嘗謂其所親曰：「觀屈原離騷之作，自是狂人，死其宜矣，何足惜也。吾嘗謂濯纓洗耳，有異人之迹，哺糟歠醨，有同物之意。而孔子曰：『我則異於是，無可無不可。』誠哉斯言，實獲我心。」此蓋自揚子雲以道家言論屈子未能全生以來，未有如獻之者，可謂以不狂為狂。獻之在當時號稱通經，其言之不經如此，何哉！

余季豫謂戴震屈原賦注點竄朱熹集注以為己作

余季豫四庫書目提要辨證卷七史部五水經注條「東原著屈原賦注，亦是取朱子楚辭集注改頭換面，略加點竄，以為己作」也。按余君此語，可謂失言。戴注與朱同者未可曰點竄，其與朱異者，為多，勝義，如以九歌為賦祠神之事，即勝舊說。劉彥和撰文心雕龍自序其志有曰：「及其品列成文，有同乎舊談者，非雷同也，勢自不可異也。有異乎前論者，非

淳輝閣製箋

苟異也，理自不可同也。斯言也，論古者不可不知。

## 詩之風會不以時代而分

齊梁以來，五言四句短詩，已同唐人絕句。如謝朓玉階怨：「夕殿下珠簾，流螢飛復息。長夜縫羅衣，思君此何極。」金谷聚：「渠椀送佳人，玉杯邀上客。車馬一東西，別後思今夕。」同王主簿有所思：「佳期期未歸，望望下鳴機。徘徊東陌上，月出行人稀。」王孫遊：「綠草蔓如絲，雜樹紅英發。無論君不歸，君歸芳已歇。」張融別詩：「白雲山上盡，清風松下歇。欲識離人悲，孤臺見明月。」孔稚圭遊太平山「石險天貌分，林交日容缺。陰澗落春榮，寒巖留夏雪。」范雲別詩「洛陽城東西，却作經年別。昔去雪如花，今來花似雪。」庾肩吾詠長信宮中草「委翠似知節，含芳如有情。全由履跡少，併欲上階生。」吳均山中雜詩「山際見來烟，竹中窺落日。鳥向檐上飛，雲從窗裏出。」何遜相送詩「客心已百念，孤遊重千里。江暗雨欲來，浪白風初起。」陶弘景詔問山中何所有，賦詩以答「山中何所有，嶺上多白雲。只可自怡悦，不堪持贈君。」下至陳隋，時有佳篇。唐人承之，自相沿遞。故知诗之風會，不以時代分。氣脈流注，有不期然而然者。如欲劃代相求，則必强生同異之论。

## 说诗的比附之失

苕溪漁隱叢話後集卷三十四引梅聖俞金針诗格云：『诗有內外意。內意欲盡其理，外意欲盡其象。內外含蓄，方入诗格。如「旌旗日暖龍蛇動，宮殿風微燕雀高。」旌旗喻號令，日暖喻明時，龍蛇喻君臣。言號令當明時，君所出臣奉行也。宮殿喻朝廷，風微喻政教，燕雀喻小人。言朝廷政教才出而小人向化，方得其所也。如「島嶼分諸國，星河共一天。」言明君理化一統也。又引天覺律詩格辨諷刺云：「諷刺不可怒張，怒張則筋骨露矣。若『廟堂生荊棘，岩谷死伊周』之類也。未如『花濃春寺靜，竹細野池幽。』花濃喻媚臣秉政，春寺比國家，竹細野池幽，喻君子在野，未見用也。『沙鳥晴飛遠，漁人夜唱閑。』沙鳥晴飛，喻小人見用，漁人比君子，夜不明之象。言君子處昏亂朝庭而樂道也。『芳草有情皆礙馬，好雲無處不遮樓。』芳草比小人，馬喻勢利之輩，雲喻諂佞之臣，樓

比鈎衡之始。若此之類、可謂言盡而意深、不失風騷之體也。」又
引洪覺範云「杜子美詩言山間野外事、意在譏刺
風俗。如三絶句曰「楸樹馨香倚釣磯、斬新花蕊未應飛。」言後
進暴貴可榮觀也。「不如醉裏風吹盡、可忍醒時雨打稀。」言其
恩重材薄、眼見其零落、不若未受恩眷時、比天恩以雨多、故
致花易壞也。「門外鸕鷀久不來、沙頭忽見眼相猜。」言貪利
小人畏君子之譏其短也。「自今以後知人意、一日須來一百回。」言君子
蒙以養正、瑾瑜匿瑕、山藪藏疾、不發其惡、而小人未革面諂諛

淳輝閣製箋

不知愧恥也。「無數春笋滿林生，柴門密掩斷人行。會須上番看成竹，客至從嗔不出迎。」言唯守道爲歲寒也。前輩多法其意作之。如韓稚圭詩曰：「風定曉枝蝴蝶鬧，雨匀春圃桔槔閑。」又蔡持正詩曰：「風搖熟果時聞落，雨滴餘花亦自香。」以雨比天恩也。桔槔比宰相功業之就，已退閑矣。時公在相府作。熟果比大臣黜落，時公在安州。」胡仔評曰：「論詩若此，皆非知詩者。善乎山谷之言曰：「彼喜穿鑿者，棄其大旨，取其發興于所遇。林泉人物，草木魚蟲，以爲物物皆有所托，如世間商度隱語者，則詩妄地矣。按胡引以名之論，最是。為附會說詩之針砭。予謂後世讀詩者，偶爾引古人詩句以言己意，不必與古人原意相合，則可，若句句比附，如作者曾以告之者，則非矣。記予在東北大學時，適有迎拒新院長之事，洶洶久之。諸生有問予之態度者。予應之曰：「迴風一蕭瑟，林影久參差。」此柳子厚游南澗詩句也。今日之事似之。又「微波喜搖人，小立待其定。」此陳簡齋題葆真宮池亭詩句也。予之態度如此。諸生有會意者，笑而退。然此二詩必非因有與予所遇之情事而作。而予引用之以答諸生之問，則甚與情事相合，故不於言而喻。古人所謂引詩斷章取義，蓋如此。

古有非自力不食者（此條應入表三）

蘇軾謫惠州有糴米詩曰：「糴米買束薪，百物資之市。不緣耕樵得，飽食殊少味。再拜請邦君，願受一廛地。知非笑昨夢，食力免內愧。春秋等時花，夏稗忽已穟。悵焉撫來耜，誰復知此意。」讀此知古人非自力食之有愧意。施法引後漢周燮非身所耕漁，則不食。王法引後漢徐稺苦自耕稼，非其力不食。古詩人中如陶淵明尤為顯著。人多謂陶詩似實係，殆东坡所謂不知此意者。

後漢書西南夷傳記漢譯白狼王唐菆詩

前記外國人詩，頃讀後漢書，記漢譯白狼王唐菆遠夷樂德、慕德、懷德歌詩三章，皆從夷語譯出。章懷采東觀記所載夷人本語注其下。今錄一章於此。遠夷樂德歌詩曰：「大漢是治，（提官隗構）与天意合。（魏冒踰糟）吏譯平端，（罔譯劉脾）不從我來。（旁莫支留）聞風向化，（徽衣隨旅）所見奇異。（知唐桑文。多賜繒布，（邪毗湛繡）甘美酒食，（推潭僕遠）昌樂肉飛，（拓拒蘇便）屈伸悉備，（局後仍離。）蠻夷貧薄，（僂讓誠洞）無所報嗣。（莫支度由）願主長壽，（陽雒僧鱗）子孫昌熾。（莫稚角存。）按意合，集解注引惠士奇曰：『合當作會。』集解又曰：『傳載歌詩三章，官本及通志均無異字，至章懷采夷言為注，三本所傳，略有不同。如提官隗構，通志作提宮傀構，官本作提官隗構。（餘略）蓋夷言本譯音，故各本有異同。傳稱犍為郡掾田恭受益州刺史朱輔命，譯其辭語。然蓋能通

八、數民族語文者。

姜夔疏影詞詠梅而用昭君胡沙說者甚多誤

姜夔詠梅疏影詞有「昭君不慣胡沙遠，但暗憶江南江北」之句，歷來說者，不得其解。清劉體仁七頌堂詞繹祗為夢解。鄭文焯白石詞校記，謂「此蓋傷心二帝蒙塵，諸后妃相從北轅，淪落胡沙，故以昭君託諭。」考唐王建塞上「詠梅詩」曰：「天山路邊一株梅，年年花發黃雲下。昭君已沒漢使回，前後征人誰繫馬。」白石詞意當本此。則以昭君比宋后妃之被擄北去者。近人夏承燾復倡一說，謂：「白石此詞亦與合肥別情有關，如歎寄與路遙，紅萼無言耿相憶，早與安排金屋等句，皆可作懷人詩會。」又云：「詞作于辛亥之冬，正其最後別合肥之年。自此時眷者已離合肥他去，秋宵吟箋。是冬范成大贈以小紅，似亦為慰◯其合肥別恨。」劉君後以予說，謂：「予以南燼◯紀聞載徽宗北行道中聞羌笛作眼兒媚詞，有『春夢繞胡沙』，向晚不堪回首，坡聽吹徹梅花。」即白石昭君云云之由來。此又前人所未及者。然靖康之亂，距白石為此詞時已六七十年，謂專為此作，殆不可信。此猶今人詠物，忽無端闌入六十年前光緒庚子八國聯軍之事，豈非可詫。見夏君所著姜白石詞編年箋注。按此詞張惠言謂為「以二帝之憤發之」，故有昭君句（見詞選），宋翔鳳謂：「暗香疏影，恨偏安也。」（見樂府餘論）二君所論，皆於何故因昭君明妃，未加說明。夏君所引予說，乃予選唐五代兩宋詞詳注。予所引徽宗詞，乃據朱氏彊村叢書，非由南燼紀聞。（紀聞所錄與黃長去字句不同。）眼兒媚詞曰：「玉京曾憶舊繁華，萬里

帝王家。瓊樓玉殿，朝喧弦管，暮列笙琶。花城人去今
蕭索，春夢繞胡沙。家山何在，忍聽羌管，吹徹梅花。細
按此詞，與白石疏影最切合，其為援用徽宗此詞極確。夏
君謂靖康之亂去白石作詞時已六七十年，不應涉及，而
以今人詠物忽入光緒庚子八國聯軍之事為可詫，則甚
不可解。白石揚州慢詞，亦不忘舊事而作，靖康之亂，在
當時士大夫稍有心者，無不引為深恥。六七十年僅可
忘之耶？即以今人游頤和園，詠園中花木亭臺，而涉

及英法聯軍焚圓明園事，一八六〇年。亦極自然，原無可議。且舊說大抵說此詞不已，如白石但為合肥舊事而作，恐未必能使舊如此感動，又何以用昭君胡沙深宮等詞，豈不更可議！故夏君雖出新意，似不可從。

以意逆志不可攙入主觀

王沂孫齊天樂〈詠蟬〉「一襟餘恨宮魂斷」一闋，清末端木埰有詳釋，見王鵬運刻花外詞跋。其言曰：「詳味詞意，殆亦黍離之感」是也。但端木復句句比附，謂：「宮魂字點出命意，下咽還滲，慨播遷也。西寇三句，傷敵驕暫退，燕安如故。鏡暗二句，殘破滿眼，而侈容飾觀，倒媚依然。衰世國主，全無心肝，千古一轍。銅仙三句，宋器重寶，均被遷徙，降不下究也。病翼二句，更是痛哭流涕，大聲疾呼，言海島棲流，終不能久也。餘音三句，遺臣孤憤，哀怨難論也。漫想三句，責諸臣列將，貪名利者，視此若全盤也。深獻可論，雖小全誤，此亦以過雨為敵驕暫退，鏡暗為殘破滿眼，嬌鬢為侈容飾觀，倒媚依然，餘音為遺臣拓憤，係想二句為表。諸臣到此為安危利災諸句，則不無比附。考端木生當清末，目睹清廷於庚子亂後，仍歌舞昇平，心有所觸，借王詞發之。觀其衰世臣主全無心肝，千古一轍之語，意自有在。即王靜特記其語，亦與端木有同感也。于此可說明一理，即讀者評論古人之作，有時不免帶有自身色彩，今所謂主觀偏見也。此等處，又須讀其評語者，善於體會。端木此評，雖犯主觀論事之失，但就其借王詞抒憤，則仍有可取，要當分別觀之。

詩詞多本異文當細辨

傳世古人詩詞，經屢刻，必多異文，不可不細辨。此如東坡謂淵明「采菊東籬下，悠然見南山」。別本作望南山，非也。此外尚多。如唐人王之渙涼州詞「黃沙直上白雲間」，別本有作黃河遠上者，不知其地距黃河甚遠，且黃河只可曰遠下，如黃河之水天上來，則不可曰遠上。黃沙直上者，塞外沙漠，一望無際，如上與天相接也。如王昌齡閨怨「閨中少婦

淳輝閣製箋

不曾愁」別本作不知愁，不知此言少婦從未曾愁，因見陌頭柳色，始感而生愁，非不知愁也。李白望天門山「碧水東流至此迴」別本作向北迴，毛西河見宋本始知其誤。又如歐陽修南歌子「笑問雙鴛鴦字怎生書」別本作鴛鴦兩字，不知此句乃寫一初學繡之女子，描花之時，見双鴛字組成之圖案，不易描畫，故而笑問。作鴛鴦兩字，則其心傷矣。」蓋因此詞上文用朱慶餘詩「畫眉深淺

予嘗思以暇日取古詩詞中異文加以考訂以成一書名曰詩詞異文訂

入時無」乃妝嚴問夫婿之詞，因而忘下文，「描花試手初」乃初學繡之女子也。上舉各例，雖一二字之異，殊失作者原意，甚至使辭意大壞，故凡遇異文，定宜細辨。

劉梅國廣文選有誤題作者名者

楊慎丹鉛總錄卷十四廣文選條：「近閱廣文選阮嗣宗碑，乃東平太守嵇叔良撰，而改良作夜。不知叔夜之死先于阮籍。中山王文木賦，乃以文為中山王名，而題作木賦。宋王微詠賦，乃誤王為玉，而題云微詠賦。下書宋王微南朝劉宋時人。楊氏云南宋（南下或脫朝字），易誤為趙宋。微字景先，史稱其好學，善屬文，工書，解音律，江湛舉為吏部郎，不就。

王之名，不知王微乃南宋人，史具有姓名，而疑詩如此，殊誤觀荼」按：此亦近人有以張戒歲寒堂詩話為張戒歲寒寒堂詩話，一樣可笑。並陸龜蒙亦自遺詩曰：『月澹花閑夜已深，宋家微詠若遺音。』自注：「宋玉有微詠賦。」陸乃唐人，何以有此說，殊不可解。（殆舊有此說，陸亦沿誤。）又按梅國名節，字介夫，明弘治進士，官至刑部侍郎，著有春秋列傳，廣文選，梅國集，寶劍堂錄。又按陳仁子文選補遺已作微詠賦矣。

楊慎誤以楚辭先路為車名　此條應移入卷三

宋孫奕示兒編謂此
數為詩字

同書卷八先路次路條曰：「楚辭『來吾導夫先路』，先路，車名。郊特牲『先路三就』，左傳『鄭賂子展先路，子產次路』。按以二字偶合而牽連之者，注家每易犯。楚辭先路，以是前導之意，不得以車名為說。

詩詞有聲變義不變之例

中興之中，古讀去聲，見陸德明經典釋文。但其義應為中間。杜詩喜達行在詩「新數中興年」，即作去聲，而詠懷詩「側聽中興主」，贈韋大夫詩「漢業中興盛」

淳輝閣製牋

諸將詩「神靈漢代中興主」，皆讀平。似此字平仄通用。實則斜對中興年，論義仍與以三句同，論聲則讀去為是。否則為平仄平平平，成四平一仄句矣。故知詩人有聲變而義不變之例。又如張大之張音漲，韓愈詩「詩成使之寫，亦是張我軍」，是也。主張之張，應平讀。但晏幾道詩「春風自是人間客，主張繁華得幾時」，則應從仄聲。否則與律詩偶字當平仄相間相重之例不合。又如枚乘之乘，杜作仄用，如「枚乘文章古」，李作平用，如「八月枝乘箋，因杜若作平，則為平平平平仄；李善作仄，則為仄仄平仄仄，皆於律不合，故知同是一義而讀平讀仄，因聲律所宜而異，於義無害。詞家亦有之。如李清照永遇樂「中州盛日，閨門多暇，記得偏重三五」，此重字論義為重視，論聲則應平讀。近人不知，遂查萬年曆，看徽宗時有無閏元宵。杜甫有「幾時杯重把」（奉濟驛重送嚴公），與此正相反。蓋論義為重複，論應平讀，論聲則應讀仄，否則與律不合。＊此類甚多，亦讀古詩詞者不可不知。

＊按仇兆鰲注此句義從平聲，讀從去聲，是也。又陪李北海宴歷下亭「役從公難重過」，仇注曰：「義從平聲，讀依去聲」，皆是。

# 賦傅古通之証

此條應移入卷三

漢書淮南王安傳「使安爲離騷傳，旦受詔，日食時上。」王念孫讀書雜志云：「傳當爲傅，傅與賦古字通。」引証甚多，並係作賦。其說予曾懷疑，漢書中詩賦字甚多，皆未用傅字通假，何以獨於此假傅作賦。後閱陸氏經典釋文，「公冶長可使治其賦也」，釋文引梁武帝云：「魯論作傅」，是則賦與傅古果有通假者，王氏之言，非無根據。

蘇軾赤壁懷古詞小專、永周瑜

蘇軾赤壁懷古一詞，讀者見有「遙想公瑾當年，小喬初嫁了，雄姿英發」等句，益認「羽扇綸巾談笑間」亦屬公瑾。予獨疑此語乃暗指孔明。因赤壁之戰，史載極明。當時孟德以大軍威脅東吳，吳之君臣於和戰兩端，徬徨不定。能決迎戰之計，乃魯肅力主，周瑜身任，而劉備命孔明往說孫權，以連橫抗擊曹軍。孫氏得此助力，而後決然不疑。故吳主傳云「與備俱進，遇於赤壁，大破曹公軍。」先主傳云「權遣瑜、普等與先主并力。」此所謂與備與先主，即有諸葛在。而亮

明胡應麟亦有此說。少室山房筆叢卷四十一，莊嶽委談下曰：「赤壁破曹，玄德功最大。考昭烈傳，『與曹公戰於赤壁，大破之』。操傳『公至赤壁，與備戰不利。』而不言周瑜。」下後引「魯肅傳及陳壽去諸葛傳後，亦言『權遣兵三萬助備，備得因與曹公交戰，大破其軍。』則當日戰功，孔明究亦與焉。周瑜與陳壽志不甚合。」

淳輝閣製箋

侍史以表：「周瑜、程普、魯肅等水軍三万，隨亮詣先主，并力拒曹公。」裴松之魯肅傳注引蜀書：「亮使，」亮以連孫之略說權，權乃大喜。」於魯肅被命往會劉備，勸備與權并力下。蓋赤壁之戰，三國鼎峙之局即定於此，蜀吳人才，亦群聚於此。故東坡詞過指有「一時多少豪傑」之句。至於本幅出公瑾、暗點孔明，乃詞家一種作法。寫公瑾美其年少英發，（周時年三十餘歲）寫孔明則以羽扇綸巾作標誌，而以談笑狀其風流閒雅。用墨不多，而二人之精神出

矣。今人或以羽扇綸巾爲爾時士大夫習爲，而不專以指孔明。然
乎攷御覽六百八十七巾數，引蜀書曰：「諸葛武侯與宣王在渭
濱，將戰，宣王戎服涖事，使人視武侯，乘素輿，葛巾毛
扇，指揮三軍，皆隨其進止。宣王聞而嘆曰：可謂真名士矣。」又
七百二扇數，引語林曰：「諸葛武侯與宣王在渭濱，將戰，
武侯乘素輿，葛巾白羽扇，指麾三軍，皆隨其進止。」據
此則羽扇綸巾，雖爲當時名士所常服用，而諸葛武侯
則最爲突出之一人，故後人以此爲武侯之標誌。御覽所

淳輝閣製牋

引蜀志，或王隱蜀記之數，非陳壽之蜀志。所引語林，乃裴啟作，今已亡。又正字通亦有「世傳孔明在軍中常服」之說。三才圖繪，以綸巾名諸葛巾，即本所謂當世以為標誌也。又據東坡捷為王氏書樓詩曰「書生古亦有戰陣，葛巾羽扇揮三軍」，即以用語林。又吳文英江南春賦張藥翁杜衡山莊詞，有「記羽扇綸巾，氣凌諸葛」之句，可見羽扇綸巾在孔明為最突出，故詩人多用之。則東坡此詞，如以羽扇綸巾屬之公瑾，未免無據。奈何奪有據之孔明，以予無據之公

瑾。如曰詞中用(明)言必瑾，當年，細分內從文氣看，應屬上文，是

則不知詞家有明言、暗點之法，而遂以散文行文論韻文也。

詩人託興之言不可泥看

詩詞中有託物寄興之辭，無變化無方，晏殊有踏莎行二首，皆用春風、行人、楊柳，而意有別。其一曰：「垂楊只解惹春風，何曾繫得行人住。」其一曰：「春風不解禁楊花，濛濛亂撲行人面。」二詞皆有春風行人，所指者同，惟一用「垂楊只解惹春風」，一用「春風不解禁楊花」，一用「何曾繫得行人住」，一用

濛濛亂撲行人面」二語迥然不同。蓋皆託意韓琦、范仲淹被謫之事，非泛泛詠楊花、垂楊也。曰「垂楊只解惹春風」乃指言官雖有諫阻人君者，終難救謫去之人。曰「楊花濛濛亂撲」而「春風不解禁」，則此楊花乃進讒之人，觀濛濛亂撲可知。楊花如此猖狂，而春風不解禁止，此春風亦指人君矣，自分明。蓋以古人有折柳贈別之習，故以垂楊不能繫別去之人。另一首雖亦用柳、卻改作楊花。楊花輕薄，因風飛舞，故以濛濛亂撲四字託言讒人肆毒之情狀。歐陽脩有憐惜花一首，所指亦与晏殊同，而所託之物又異。其词曰：庭院深深深幾許，楊柳堆烟，簾幕無重數。玉勒雕鞍游冶處，樓高不見章臺路。雨橫風狂三月暮，门掩黄昏，無计留春住。淚眼問花花不語，亂紅飛過秋千去。此词之楊柳、簾幕等词，指宮庭深邃，有楚騷閨中邃遠之意。而雨橫風狂，則指政令橫暴，花飛則指斥逐之人非一也（據張惠言說）。蓋此時歐陽方居言官之職，因救韓、范而同被貶謫，故其词婉而多諷如此。

漢郊祀歌中之鄒子樂，亦作曲之人名（此條应移入表中）

漢書礼樂志郊祀歌十九章，其青陽、朱明、西顥、玄冥六下皆有鄒子樂三字，注家無説明。胡元瑞詩藪謂為作曲之人，然漢未聞有此人也。

唐人所唱絕句有本非絕句者

王世貞藝苑卮言卷四曰：「王勃『河橋不相送，江樹遠含情』，杜荀鶴『承恩不在貌，教妾若為容』，皆五言律也。然去後四句作絕句乃妙。天寶妓女唱高達夫『開篋淚沾臆』，本長篇也，刪作絕句唱。白居易『曾與情人橋上別』一首，乃六句詩也，亦刪作絕句俱妙。」按

淳輝閣製箋

麗情集載湖州妓劉采春唱劉禹錫柳枝詞云：「春江一曲柳千條，二十年前舊板橋。曾與美人橋上別，恨無消息到今朝。」楊慎升庵詩話引之，謂「隱括白詩為之」。今考白詩乃六句，曰：「梁苑城西三十里，一渠春水柳千條。若為此路今重過，二十年前舊板橋。曾與美人橋上別，更無消息到今朝。」惟一渠句改四字，或係傳本之異，非隱括也。

詩詞詠物有託意微而顯者

前記讀詩詞不可內之比附，致失作者之意。然亦有託意微而題者。王楙野客叢書卷二十三「韓杜詩意」條曰：「子美螢詩曰：『幸因腐草出，敢近太陽飛。未足臨書卷，時能點客衣。隨風隔幔小，帶雨傍林微。十月清霜重，飄零何處歸。』退之詩曰：『朝蠅不須驅，暮蚊不須拍。蠅蚊滿八區，可盡與相格。得時能幾時，與汝恣啖咋。涼風九月到，掃不見蹤跡。』二詩皆一意，所以諷當世小人妄作威福者爾。」按王氏之言是也。觀二詩結尾四句，而語意顯然。且螢蠅蚊皆微物，詩人取而詠之，自非無意。以此推之，晏幾道有浣溪沙詞曰：「二月和風到碧城

城，萬條千縷添相迎。豈烟眠雨過清明。妝鏡巧眉偷葉樣

歌樓妍曲借枝名。晚秋霜霰莫無情。此詞上半極言其盛

時，下半深警其衰時。而妝鏡二句，則承上盛時以見阿附者之

狀，末句似嘲似惜，較杜、韓二詩結尾更微婉而深警。

王士禛秋柳詩竟至賈禍於身後

王士禛作秋柳詩時，才二十四歲，距明亡二十四年，詩有故

國故君之思，一時和者達千人。及入清，功名顯達，深恐

觸犯新朝，因而，序中有「僕本恨人，性多感慨。寄情

楊柳，同小雅之僕夫。詩託悲秋，皆帽卑卑遠者等二篇語，意太顯露。蓋小雅僕夫，用詩采薇及出車二篇詩序，一則指文王時有昆夷玁狁之患，天子命將出師，一則師還之歌。而帽卑遠者，則用九歌湘夫人以指以求逃之政府也。故其自編精華錄時，將此序刪去。晚年編感舊集，稱錄其兄那錄及徐夜和作各一首，皆不存，幸乃至事。然王歿後七十年，乾隆朝為有告發之者，管世銘韞山堂詩集卷十六追記舊事詩曰：詩無達詁最宜詳。

咏楊悵人取斷章，穿鑿一篇秋柳注，幾令身含禍
漁洋。」自注：「秦人注漁洋秋柳詩，白下、濮陽、
帝子、公孫等字，妄擬為憑弔勝朝，最為穿鑿。」又曰：
「丁未春，大宗伯某按：某乃彭元瑞，乾隆丁未時官禮部尚書，見楚天廬叢話卷二十二摘摭王漁
洋、朱竹垞、查他山三家詩及吳園次長短句語，奏
請毀，事下樞庭。時余甫內直，惟請將曝書亭李
詩七言古詩一首事在禁苑，照例抽毀，其漁洋秋
柳之詩及他山宮中草絕句、園次詞語，意均無違礙。

嘗路賄遺其識，奏上報可已致管世銘在政府為內閣大學士阿桂所倚重。所謂當路，即指阿桂。世銘此舉保全甚大，否則詠免不為沈德潛之續。沈在乾隆朝，其文學頗為乾隆所重，及因徐述夔詩集被人告發，沈曾作徐述夔傳，牽連及之，追奪階銜祠謚。帝皇喜怒不測如此，王之得免禍亦幸矣。

王士禎施閏章論詩不同

王士禎漁洋詩話謂：方嵞山（名文字爾止 有西江游草）少有才華，晚學白樂

天，好作淺俚之口語，為世口實。嘗為方題四壬子圖畢，方以壬子年生

壬子生者乃令畫工圖陶淵明、杜子美、白樂天與己，俗謂益此。議座客曰：「陶坦率，白令老嫗可解，皆不足

處。所處杜陵老子，文峻綱密，恐鑫山不免喫藤條耳。」一座絕倒。」其輕視方作之意，言外可見。施閏章題方西江游草序則曰：「近之論詩者，惟為聲調噌吰，氣象軒朗，取官制典故經國勝績，假辞為工，彷彿情詞，譬以降格于是，篇可移於甲，可贈乙，郭郭雖雄，中實鄙陋，怨之為詩，雜民謠、里諺、塗巷瑣事，皆可引用。興令所

屬衛、成、篇，故其詩窈曲如話，真率渾脫，自肺腑中

流出，絕無補綴之痕。此細按施氏此論，不特與王不同，且

似借方以規王，不特推重方作，且似駁斥王氏所為。考方施、

王同官京、師，酬唱甚密，互論學不為苟同如此，甚可師法。

方有嵞山集、西江遊草，王氏感舊集入錄者止四首，

不足見其風格。施所稱窈曲如話者，此王所取者也。

李珣南鄉子十七首中，誤有溫庭筠九首

陸游題楊廷秀南海集詩曰：飛卿數闋嶠南曲，不許劉

郎詩竹枝。四百年來無復繼，如今始有此篇詩。」自注：「溫飛卿南鄉子九首其二不減夢得竹枝。」按今傳溫集中不見，而李珣瓊瑤集有此調十七首，其中三、八、九、十、十一、十二、十五、十六、十七所詠，均南嶠風物，豈溫作混入李集中耶？誌此以待知者。

隨筆納忠觸景無戒之作

宋吳曾能改齋漫錄、峽人蒨桃贈歌者詩條曰：「翰府名談，載寇萊公妾蒨桃贈歌者云：「一曲清歌一束綾，美人猶似意嫌輕。不知織女寒窗下，幾度拋梭織得成。予嘗記南唐李詢贈織錦詩云：「札札機聲曉復晡，眼穿力盡意何如。美人一曲成千端，心裏猶嫌花樣疏。」精挑詩意未此不及也。」按：薛雪生白《一瓢詩話》謂：「平生最愛隨事納忠，觸景垂戒之作，引此詩未著作者名。幾度拋梭作多少工夫。薛所記此數詩凡七首，皆不著作者名。其一首曰：「昨日到城市，歸來淚滿巾。遍身羅綺者，不是養蠶人。」此北宋張俞作。張四川郫縣人，著有白雲集。其二曰：「鋤禾日當午，汗滴禾下土。誰知盤中飧，粒粒皆辛苦。」此唐李紳作。其三曰：「子規啼徹四更時，起視蠶稠怕葉稀。不信樓頭楊柳月，玉人歌舞未曾歸。」此未詳作者。其四曰：「地濕莎青雨後天，桃花紅近竹林邊。行人本是農桑客，記得春深欲種田。」此唐薛能作。其五即蒲桃詩。其六曰：「一株楊柳一株花，云是官家賣酒家。惟有吾鄉風土異，春深無處不桑麻。」此未詳作者。其七曰：「采采西風雪滿藍，禦寒功已倍春蠶。世

淳輝閣製牋

聞多少間花草，無補生民亦自慚。」此亦未著作者名，疑皆宋人作。係攷

辨王夫之論一三五不論二四六分明

王夫之薑齋詩話曰：「樂記云：『凡音之起，從人心生也。』固當以穆耳協心為音律之準。「一三五不論，二四六分明」之說，不可恃為典要。「昔聞洞庭水」，聞、庭二字俱平，正爾振起。若「今上岳陽樓」，易第三字為平聲，云「今上巴陵樓」，則語蹇而戾於聽矣。「八月湖水平」，月、水二字皆仄，自可；若「涵虛混

太清」易作「混虛涵太清」，為泥磬土鼓而已。如「太清上初日」，音律自乃，若云「太清初上日」，以求合於粘，則情文索然，不復能成佳句。又如楊用修警句云：「誰起東山謝安石，為君談笑淨烽烟。」若謂安字失粘，更云：「誰起東山謝太傅」，拖沓便不成響。是見凡言法者，皆非法也。釋氏有言：「法尚應捨，何況非法。」藝文家知此，思過半矣。按「一三五不論，二四六分明」，乃俗傳律詩聲調之說。其說亦非盡誤。予另著論分析其是非。至王氏所舉各句，以駁其說，則未盡然。如「昔聞洞庭水」為仄起句，論律本當作平平平仄仄，今作仄平仄平仄，不合二四六分明之說。但律詩起句，每將聲調變易，不足為奇。蓋律詩八句平仄排列太整齊，則嫌於平板，故必將其中一兩句易其聲調，以求合既整齊又錯綜之美，學者體此。王氏謂之振起，即此。第二句今上岳陽樓為平仄仄平平，合律矣。今字居首可不論也。今改為巴陵樓，則為仄平平平，不合律矣。月湖以平，本當作仄仄平平仄，因首句須押韻，故當為平仄平，以陸月皆仄，亦錯綜之美。第二句涵虛混太清四為平平仄仄平、合律矣、改為「混虚涵太清」則為仄平平仄平、不合律矣。「太清初上日」為仄平平仄仄、与「昔聞洞庭水」同法、改為「太清初上日」則為仄平平仄仄合律矣。（王氏謂求合於拗）王氏病其詩意太平、不能振起、故曰情文索然。「詐起東山謝安石」為平仄平平仄平仄、亦錯綜可也。改為「謝太傅」則為平仄平平仄仄仄、第五字皆平、不合律矣。文藝之事、不可無法、亦不可拘法。王氏引釋氏之語謂當捨法、詩意未圓。（按釋家此語、本以筏喻法、渡河者不可無筏、但既渡則應捨筏、亦有不可拘守之意。然渡河而無筏亦不可、故知不可無法、亦不可拘法。）

## 者遮這喒 此條應入卷三

今人指目某處或某事用這裏、這事。古人有用者者。如蜀主王衍醉妝詞「者邊走，那邊走」是也。宋人又有用遮者，如陸游老學庵筆記卷一記章子厚見林自乃太學博士工章啓，用語相語作大罵曰「遮漢子敢亂道如此。」按者，說文別事之詞也。別事，即指目某事，是正用作這，作遮乃者聲之轉。又按今川人凡怪問之詞作喒箇。喒北人稱我也，喒〻遮亦聲轉字，章語或有怪問之意。

# 默識錄卷三

# 默識錄卷三

錢大昕論宋儒改大學親民為新民之非

錢大昕十駕齋養新錄卷三親民條曰：「大學之道，在親民，民之所好好之，民之所惡惡之，此之謂民之父母。」此親民之實也。宋儒改親為新，特因引康誥作新民一語，而不知如保赤子，亦康誥文。保民同于保赤，於親民意尤切。古聖人保民之道，不外富教二大端，而親字足以統之。改親為新，未免偏重教矣。親之義大于新，言親則物我無間，言

淳輝閣製牋

新便有以責治賤，以賢治不肖氣象。視民如傷者，似不若此。後世治道所以不如三代，正爲不求民之安，而務民之不善。於是合德而用刑，自謂革其舊染，而本原日趨於薄矣。竊謂大學親民，當仍舊文爲長。按清儒喜反宋儒之說，此段議論卻甚正大。可見一字之異，而致用大變，讀書者亦所當知。按段玉裁經韻樓文集卷三在明明德在親民說，亦不以程子讀親民為新民爲是。謂親民之事必兼富之教之，與錢氏之說同。

## 漢學之弊

陳澧東塾讀書記卷六論朱子集傳有勝毛鄭

舊說者。若拘守毛鄭而不論其是非，則漢學之病也。按陳先生之學，欲溝通漢宋，不為門戶之見。此語洽中漢學家之弊。予治屈賦有不拘守王逸之說處，每為人詬病。論先生此言，實先得我心。例如予謂伍子邅殃非伍子胥，自王氏誤注而後人不察，千餘年來信之不疑，殊可怪詫。

陳澧論博學以知服

同書卷九載：「儒行最善處，如博學以知服是也。鄭注云：「不用己之知，勝於先世賢知之所言也。」孔疏云：「謂廣博學問，猶知服畏先代賢人之言，不以己之博學淩跨前賢也。」澧謂後儒當以此書紳銘座。（自注：曲禮云：「博聞強識而讓。」亦此意。）范武子注穀梁傳，引何休及鄭君說，而云：「此吾徒所以不及古人也。」（自注：僖三十年注。）朱子呂氏家塾讀詩記後序云：「一字之訓，一事之義，未嘗不謹其說所自；及其斷以己意，雖或超然出於前人意慮之表，而謙讓退託，未嘗敢有輕議前人之心也。」此皆可謂博學知服者矣。又注曰：「論語皇疏云：『今

之世，學者復爲補己之闕，正是圖欲勝人。」卷七朱子答呂子
約書云：「先横著一个人我之見在胸中，於己說則只尋
是處，雖有不是，亦瞞過了。於人說則只尋不是處，吹毛
求疵，多方駁難，不知服者之情狀，大略如此。」竊嘗論之曰：
「古人著書，辛苦創闢，往往盡美而未能盡善，蓋辛苦成
書，既竭其才，後人讀之，坐享其成，忘其辛苦，而但見其未
盡善，遂有不滿之意，甚者欲著書以加乎古人之上矣。」或
問曰：「何以忘其辛苦也？」曰：「精善處乃人心之所同然，故不覺其

奇特，而与之相忘也。而不知此正其至精至善處也。據此段而論，精闢周密，於博学知服之義，推闡無餘，正可与上段論漢学之病合參。蓋古人之是非，不可不辨，不能一味信古。至古人未盡善處，既已知之，自當有以正之，但不可有凌駕古人之心。以此理推之同時之人有未盡善處，亦非不可正之，但不可只尋別人之非，且尤不可吹毛以求人之疵。對於己之是者，固可以堅持，對於己之不是者，則萬不可瞞過，務必多方以正之。遇有与己說不合之反證，以能充分辨其是非為要，此不可隨過之說如此。此義乃學人所宜深思者，故詳著之如此。

4 陳澧極稱朱子論一貫之語

同書卷二引朱子語數論一貫曰：「宋儒好講一貫，朱子之言極好。其言曰：『譬之一條索，那貫底物，便是如許多散錢，須是積得這許多散錢了，卻將那一條索來一串穿，這便是一貫。』若陸氏之學，只是要尋這一條索，卻不知道都無可穿。」注卷二十七「今人錢也不識是什麼，錢有幾箇孔，」良久曰：「公沒一文錢，只有一條索子。」

按朱子此語最切要。蘇軾亦曾說滿座散錢，必須有一條索子穿著，皆言專務空談而忽實學者之弊也。

荀子謂易括囊无咎為腐儒之言

易坤六四：「括囊无咎无譽。」象曰：「括囊无咎，慎不害也。」此以不與物忤為慎。蓋時遇否閉，賢人乃隱，故曰括囊无咎。荀子引（非相篇）此文繼之曰：「腐儒之謂也。」蓋荀子以言論所以宣揚善德，今乃結舌不言，無以益於世，故斥之為腐儒。

荀子佚文　此條可刪

三惑

荀子正名篇有三惑之說。三惑其一，殺盜非殺人也，此惑於用名以亂名者也。注：徒取其名，不究其實，是惑於用名以亂名也。二，山淵平，此惑於用實以亂名者也。注：此惑於用實，古年[illegible]以亂古人之舊名也。三，馬非馬也，此惑於用名以亂實者也。注：白馬非馬，是惑於形色之名而亂白馬之實也。按荀子之時，詭辯之家如公孫龍、惠施之徒，故甚辯說，故荀子訓之。楊倞注正名篇謂是時公孫龍、惠施之徒，亂名改作，以是為非，故作正名篇，是荀所謂亂名改作，即上三惑所斥也。大滑亂是非

有人道我善者，是吾之賊也。道我惡者，是吾之師也。此荀子佚文，見曹植與楊德祖書注。

今傳春秋經文非孔子本文

馬端臨文獻通考卷十八上經籍考九論春秋曰：春秋古經，雖漢藝文志有之，然夫子所修之春秋，其本文世所不見，而自漢以來所編古經，則俱自三傳中取出經文，名之曰正經耳。然三傳所載經文多有異同，則學者何所折衷。此下馬氏列舉三傳所載經文異同而斷之曰：然則春秋本文，其附見三傳

淳耀閣製牋

者，不特乘愚，未了盡伐，而三子以其言增損者有之矣。蓋襄二十一年所書者，（按襄公二十一年公穀皆書孔子生。）公穀尊其師援而增書之也。哀十六年所書者，（按左氏於哀公十六年四月書仲尼卒）左氏痛其師亡而增書之也。但非春秋之本文也。」按梁玉繩史記志疑卷三十六曰：「春秋文成數萬條」謂：「馬氏所論甚確」。于此可見古代書籍，雖賴後儒誦習得說以傳，然其間增損改動之處，亦實不少。若一槩信之不疑，殊非昌黎韓氏辨古正偽之義。

便國不必法古

商子更法第一篇有「便國不必法古」語。史記酷吏傳，杜周為廷尉，其治大放張湯而善候伺，上所欲擠者，因而陷之，上所欲釋者，久繫待問而微見其冤狀。客有讓周曰：「君為天子決平，不循三尺法，而專以人主意指為獄，獄者固為是乎？」周曰：「三尺法安出哉？前主所是著為律，後主所是疏為令。當時為是，何古之法乎。」按杜周行法專以人主之意指為輕重，固非，但謂「當時為是，何古之法」語，與法家之言合。近世王安石變法，亦有「祖宗不足法」之語，雖用意不同，而敢於變易舊規，務適當世之急則無不同。

子貢滅鬚為婦人，為男扮女裝之始見于古籍者

論衡龍虛篇載「子貢滅鬚為婦人」，不知其狀。又以梁宗炳答何衡陽白黑論亦云「賜滅其鬚」。班固幽通賦注云「衛蒯聵亂，子羔滅鬚，衣婦人衣逃出，曰『父子爭國，吾何為其間乎』。孔悝求之不得，故免於難」。韓非子、說苑皆以為子羔，殆亦由於守門者之逃，無滅鬚衣婦人衣之語。按子貢子羔雖異，

其事或非無因。此男女化妝之見於古記者。又史記滑稽列傳載優孟為孫叔敖衣冠、抵掌談語、歲餘、像孫叔敖、楚王左右不能別、以為孫叔敖復生、則是後世演劇化妝之始。

漢志六藝九種為一百三家例表

亡友曾運乾星笠有漢志六藝九種為一百三家例表、今錄如左：

例一、凡六藝之次第、一易、二書、三詩、四禮、五樂、六春秋、七論語、八孝經、九小學。

例二、凡部次皆一本經、二本傳記、三訓釋、四別傳、五讖奏、六外篇。

例三、凡本經、本傳、本紀、皆獨立為一家。

例四、凡讖奏皆獨立為一家

例五、凡別傳多合數家為一家。

例六、凡外篇多合數家為一家。

例七、凡家相同者、雖數家仍合為一家。（如施、孟、梁丘易章句為一家、左鐸、張虞、春秋微為一家。)
例八、凡家法不同者、雖一家仍別為數家。(如易傳有周氏、服氏、楊氏、蔡公、韓氏、王氏、丁氏七家。)
例九、凡總數家為一家者、皆概括書之。(如易章句施孟梁丘氏各二篇、書大小夏侯章句各二十九卷。)
例十、凡合數家為一家者、皆聯綴書之。其聯綴之法、或依家法、如易之古雜災異神輸三家合為一家。孟京房災異、孟氏京房、五鹿充宗略說、京氏段嘉

淳輝閣製箋

四書合為一家。書之劉向五行傳記、許商五行傳記
兩書合為一家。詩之魯故、魯說為一家。齊后氏故、
齊孫氏故、齊后氏傳、齊孫氏傳、齊雜記為一家。韓故、韓
內傳、韓外傳、韓說為一家。春秋之左氏微、鐸氏微、
張氏微、虞氏微傳為一家。是也。或依作者、如書之大
小夏侯章句及解故為一家。小學之杜林蒼頡訓纂、
蒼頡故為一家。是也。或依書之性質、如禮之古封
禪羣祀、封禪議對、漢封禪羣祀為一家。春秋

之國語、新國語為一家。太史公書所續太史公為一家。太古以來年紀、漢著記、漢書紀大年紀為一家。論語之孔子家語、三朝記為一家。孝經之爾雅、小爾雅、古今字為一家。弟子職及說為一家。是也

附說明：

傳記有釋經之傳記、如春秋左氏傳、禮記百三十一篇、是也。有釋傳記之傳記、如公羊外傳、公羊雜記、是也。今以前者為傳記、後者為訓釋。羣書之

故閱经者，有经之别傳，如诗之毛傳，礼之周官是也。有经之附錄，如國語之附於春秋，家語之附於論語，今以當者為别傳，以者為外篇。按曾君之学，於经子礼、樂小学声韻，其持論極精核。聞其家曾遭回祿，所著之書未知尚存否。此文乃曾君講学東北大学時所錄，亦特為表出，亦可為讀漢志者一助也。

## 司馬相如賈誼之经学

後世但知司馬相如賈誼長於文学，陳澧獨称其通经。本蜀讀書志卷十三（補刊本）曰：「司馬相如，經師也，非止作凡將通其一書而已。」三國志秦宓與王商書曰：「蜀本無學士，文翁遣相如東受七經，還教吏民，於是蜀學比於齊魯。」故地理志曰：「文翁倡其教，相如為之師。」談漢學者宜知之。

又曰：「賈誼之學，蓋長於禮，以為漢興至孝文二十餘年，當改正朔，易服色，法制度，定官名，興禮樂，草具其事儀法，悉更秦之法，此非後特俗通之所為矣。蓋子以上繼周禮矣。惜其儀法不傳，惟讀其上疏，庶乎古禮。」按陳先

淳輝閣製牋

生此二段之用意，仍為今時為宗學者輕視漢儒，為漢學者又未注名物訓故，故兩正之也。

古今釋俗語表目

隋書經籍志子部雜家，劉霽釋俗語八卷，

舊唐書經籍志、李少通俗雜字，

新唐書志、張推證俗音，

顏愍楚證俗音略。

江式通俗文。

李虔續通俗文。（以上皆亡）

魏

宋　釋常談

肯綮錄

洪邁容齋隨筆

明　困学纪闻

國　焦氏笔乘

清　翟灝通俗编

梁山舟直語補證

趙东潛營庭錄　未刻

淳輝閣製箋

諸秋士 有作未刊

趙翼陔餘叢考

錢竹汀恒言錄

桂未谷札樸

平步青霞外攟屑卷十玉雨淙釋諺

章太炎新方言

古書用事辭二字之義

陳澧東塾讀書記卷十曰：孟子之說春秋，一曰其事，二曰其文。文者所以說事也。按予著撰文心雕龍校釋，宋孫奕示兒編卷十二文辭條曰「古今者稱孟子不以文害辭」，多不察辭文自形而別。按伊川曰「不以文害辭」，文是字之文，章一字則是文，成句為辭。……晦庵朱氏曰「文，字也；辭，語也。言說詩之法，不可以一字而害一句之義，不可以一句而害設辭之志，當以己意逆取詩人之志，乃可得之。」今按程朱二氏之言者尤正確。補係於此，以見文辭之別，從前說此者多未盡。參看孟子論讀者意逆之法條。

釋三準，首引孟子此文，陳先生解文為所以說事者，此文乃指篇章字句，作者用以說明一事者，其事之事，在他處或稱為辭，「不以文害辭」之辭，即是。楊倞注荀子正名篇「有辭者，說事之言。」是則孟子其文之文，即此所謂辭，而孟子所謂害辭之辭，則此文所謂事。蓋說事之文，說事之辭，皆釋氏所謂「能」，其事之事，與害辭之辭，則釋氏所謂「所」。能者能說者，所者所說者。能說者或曰文，或曰辭，所說者或曰事，或曰辭，故事辭二字之義，或同或異，要視其所指而定。

顏師古匡謬正俗誤文

顏師古匡謬正俗有「劉軌思文心雕龍」之語，清葉廷琯吹網（調表）
錄卷五有匡謬正俗誤文一條，謂：「顏語未詳所出，或劉
勰先曾以軌思為字，後改彥和，而史文失記，師古必得先
世遺聞而稱其舊字。」余按劉軌思見北齊書儒林傳，
祇稱其善說詩，別無著作，此史亦同。且軌思是名非字，
別是一人，此當由師古誤記而筆之書，非彥和舊字也。·澍按

北齊劉晝著劉子十卷，舊唐志誤作彥和撰，新唐志同。唐實于西友儀亦以北魏元勰所撰要略誤為彥和作，而師古復誤以北齊之劉執思為著文心雕龍之劉勰，涉筆不慎，殆誤後人如此。

司馬遷有下獄死之說

往聞郭沫若院長謂太史公被殺，疑其無據。頃閱香祖筆記云：「劉歆云：『遷作景帝本紀，極言其短，及武帝之過。帝怒削去之。後坐李陵事下蠶室，有怨言，下獄也。与傳不合，未知歆何所據，記之以備異聞。

王允殺蔡邕乃千古冤獄

蔡邕因悶董卓被誅而嘆，為王允所殺，謂其同惡，實千古冤獄。臧拜經刻蔡氏月令章句敘，慷慨論之，為孫星衍、阮元、許宗彥、嚴元照、江喜孫所稱，詳見漢陽葉氏鈔本拜經堂文集卷一。

雅盜二則

王士禎居易錄卷二十七引圖繪寶鑑卷四，載宋迪功郎蕭

淳輝閣製牋

照，本太行山盜，一日掠得李唐，檢其行李，止粉奩畫筆，叩其姓氏，知係李唐。照久聞唐名，即棄賊隨唐南渡。紹興中補迪功郎，待詔畫院。此與李涉遇盜事思以秉，可謂唐宋兩雅盜。李涉事詳全唐詩話李棠征條。李詩有井欄砂宿遇夜客詩曰：「春雨瀟瀟江上村，綠林豪客夜知聞。相逢不用相迴避，世上如今半是君。」即指此事。後有紀其事者。又見陳郁話腴，謂：「李遇皖口之西，有大艦過其征，數十人持兵杖，問是何人。從者曰：『李涉博士船也。』其豪首曰：『若是李涉，

柳永鬥百花詞之垂楊雙髻乃胡妝

昔讀柳永鬥百花詞，有「滿搦宮腰纖細」，又「年紀方當笄歲，剛被風流沾惹，與合垂楊雙髻」的，不解垂楊雙髻為何語。後閱陶宗儀輟耕錄矣，記高碧窗亦胡婦詩，有「雙柳垂鬟別樣梳，醉來馬上倩人扶。江南有眼何曾見，爭卷珠簾看固姑」。始悟柳永垂楊，即為雙柳。合雙髻者，觀其合雙柳為一髻，計綰根之飾，若用楊柳作形容，恐與今之雙辮不同，蓋以髮為之而不辮，故似柳也。固姑，蓋是胡婦名。

*但結束髮根

又按今越南女子即如此妝，但不分髮為二耳。往年梅蘭芳演紅樓夢中之黛玉、晴雯諸女子，亦採用此種妝飾，當時以為新創，不知北宋以來，明漢唆通即已如此，且形諸吟詠矣。

問詩名已久，但希一覩，全帛那敢取也」。李乃增一絕云云。」按全
唐詩話所記出李彙徵所說，彙徵謂乾符辛丑歲，范攄字
于雲川值彙徵，細述其事，云於刺史之座，觀李博士手翰，則
似非出後人偽造。

文人紀目見事物亦多增飾不可信

文人記事物，雖目見者，亦多增飾。故王充論衡於古來增
飾之事，設專篇闢之，最為有見。漁洋王士禎池北偶談
卷二十二，有記嘉[illegible]墨魚一條，既增飾之，為行刑鏁墨，又

附會之爲食郭璞注爾雅硯墨所化。嘉州即今樂山縣，有烏尤山，山上有爾雅臺，相傳郭璞注爾雅於此。復牽合南越志之烏鰂，自稱在蜀見之，實則一種黑色鱗甲之魚，土人增飾之爲飲東坡墨水所致，亦以烏尤山有東坡在此讀書之說也。予避日寇居樂山數年，屢食此魚，亦熟聞土人之說，聞王氏語不覺失笑。

唐宋流傳之劣詩

全唐詩話卷六記權龍褒（一作襄）景龍中爲右武衛將軍，好賦詩，而不知聲律。嘗作秋日詠懷曰：「檐前飛七百，雪

淳輝閣製箋

白後園偃。能令房裡側，家畜集野娘。」案軍不曉向向。權曰：「鴿子、蕭萝飛直七百，法衫挂陀園，白如雪，能令令房中側卧，家裡便轉集，得澤蟯娘。」又全唐文紀事九十九卷（清陳鴻墀撰）載朝野僉載，記權於皇太子宴夏日賦詩，有「嚴霜白皓皓，明月赤團團」之句。太子援筆為讚曰：「龍襄才子秦州人士，明月晝耀，嚴霜夏起。如此詩章，趁韻而已。」權為瀛州刺史，自新過歲，京中數人附書曰：「改年多感，敬想同同。」新正遂官人集，云有語改年歸為多感元年。將長呈判司

淳輝閣製牋

上下，衆人大笑。龍襄後倒聽，怪動去來遲。按此与苕溪漁隱叢話卷　記宋宗室某一詩可為芬詩之僅得流傳者。某詩曰：日出看三織，（三蜘蛛織網於檐也。）風高鬭兩廂。（兩雀鬭於廂房也。）蛙翻白出闊，（蛙腹如白出字。）蚓死紫之長。（蚓長如紫之字。）潑聽琵琶梧鳳，（喫潑飯時聞隣舍鳳栖梧曲。）饅拋接建章。（方喫饅頭，而建章李君來。）歸來屋裏坐，打殺又何妨。（送李回，忽見門神，故有此二句。）數記于此，以供笑謔。

國畫亦有畫影者

西洋畫每喜畫陰影，以為逼真。我國畫但以綫條圖形，無畫影者。近閱以敏元慶東白齋詩話，記江夏吳偉，字小仙，齠年收養湖廣布政錢昕家，侍其子於書齋中，便取筆畫地作人物山水之狀，後寓居金陵，其畫遂入神品，未嘗究心吟詠，達所欲言，若有超悟，嘗自題騎驢圖云：「白髮一老子，騎驢去飲水。岸上蹄踏蹄，水中嘴對嘴。」此畫水中倒影也。

沈欽韓排擯飛章誣李固之文非馬融作

後漢書李固傳曰：「順帝時，詔所除官，多不以次，及固在事，奏免百餘人，此等既怨又希望冀旨，遂飛章虛誣固罪。」沈欽韓曰：「世以此章為馬融所作，然史不指融名，又其事為梁太后所寢明已。（中略）且既云飛章，當隱其主名，豈得先題撰造之人？其非融作明矣。」按沈論甚明。今觀其文，如云：「大行在殯，路人掩涕，固（胡）粉飾貌，搔頭弄姿，槃旋偃仰，從容冶步。」此等語言，以誣告大臣，亦殊怪異，融必不至如此。又按融為梁冀草奏一次，乃陷李致死者，非此次。

古書易訛之故

孫詒讓札迻序，論古書致訛之故曰：「後以竹帛梨棗，鈔屢易，則有三代文字之通假，有秦漢篆隸之變遷，有魏晉正草之混淆，有六朝唐人俗書之流失，有宋元明校槧之譌改。途徑百出，多歧亡羊，非覃思精勤，深究本原，不易得其正也。按孫君概論古書致譌之故甚周且備，而著重於覃思精勤，深究本原八字，亦極扼要。

學校規則 古稱學法

苕溪漁隱叢話後集卷三十五引上庠條云：「熙寧間，有福州浩浩居太學累年，其父以詩寄之云：「太學何蕃且一歸，十年甘旨誤庭闈。休辭客路三千遠，感念人生七十稀。腰下雖無蘇子印，篋中幸有老萊衣。歸期約定春蠶後，免使高堂詠式微。」偕得詩感注，於是擇諸生歲歸。閉而歸者十五六焉。」逮紹聖間，始著歸省之令，然猶九年為限。崇寧二年，推行三舍，有司以學法進呈。」據此學校定規則之見於律令者。

九百有三說

董西廂有「賢不是九佰風魔語」。按九百有三說（九佰即九百）：莊倬雞肋編，俗謂

神氣不足爲九百。此一說也。又曰、或以乾爲九數、又以盛呼之、亦重陽
之義耳。此又一說也。後山詩話曰、昔之黠者謂彭祖八百歲而死、其
婦哭之慟。其隣里共解之曰、人生八十不可得、而翁八百矣、爲何尤。婦
謝曰、汝輩自不喻耳、八百死矣、九百猶在也。故世以癡爲九百。此又
一說也。除此之說外、予閱歐陽脩歸田錄載馮道和凝同在中
書、和問馮曰、公靴新買、其直幾何。馮舉左足示和曰、九百。和性
褊急、遽回顧小吏云、吾靴何乃用千八百。馮徐舉其右足曰、此亦
九百。于是烘堂大笑。此亦九百之故事也。世稱九百爲癡、或即出此。

蟁綢蚊幮即今之蚊帳

放翁夏日雜題詩：「卷七十一」「新縫細葛作蟁綢，簟展風漪凛欲秋。啼鳥一聲茶夢斷，依然書卷在牀頭。」玉篇：蟁，古蚊字。又唐薛能吳姬詩：「退紅香汗濕輕紗，高捲蚊幮獨臥斜。嬌淚半垂珠未破，恨君瞋折後庭花。」廣韻：幮，帳也，似廚形，出陸該字林。

艙倉二字見于唐宋詩

艙字不見說文，近世名舟中可居者曰艙。放翁舟中曉賦詩：

卷十六有「斜分半艙月滿載一篷霜」句。字又作倉，唐歐陽詹宿建溪中宵即事詩，有「偶簫徹月入中倉」句。按艙為新造字，倉則假借字也。

自訟齋即今之反省室

放翁問隣里詩：（卷三十八）「獨坐空齋如自訟」。自注：「三舍法行時，嘗上書言事者，屏置一齋，曰自訟」。按此與今之反省室同，但曰屏置一齋，則為固定之所，與今無定之反省室異，而用意同。（三舍法者，神宗熙寧時所定學校之法。分外舍、內舍、上舍，各以考課優者上升。法共[illegible]四百十條，紹興重修尤密。）

## 楊懋建有紅樓夢注

楊懋建名掌生、別號蘂珠舊史、道光戊戌以科場事謫戍長沙。自稱：「幼嘗紅樓夢、十六七歲時、每有所見、記於別紙、積日既久、遂得二千餘籤、斲汰而存之、更為補苴掇成紅樓夢注、凡朝章國典之外、一切鄙言瑣事、與是書有関涉者、悉滙而記之。」又曰：「今忽忽十餘年、未能脫稿、殊自慚也。」按為小說作注者、不多見、此書惜未成、不知其稿落於何處、良可惜也。

淳輝閣製牋

姜夔漫与 小可改漫興

吳文英・齊天樂・詠蟋蟀、有「豳詩漫与」句。按此之字詩家多用。杜甫有詩題漫与者、或改為漫興、小杜又有「老去詩篇渾漫与」。按漫者、猶言徒然、偶爾、与者、及也。漫与猶言偶爾有作。豳詩漫与、言豳風詩偶及蟋蟀也。

影響 猶古言風流

影者形之所成、響者音之所起、亦曰音影。郭象莊子序曰：「雖復貪婪之人、進躁之士、暫而攬其餘芳、味其溢流、彷荀子非相篇有曰：「今世俗之亂君、鄉曲之儇子，莫不美麗姚冶，奇衣婦飾，血氣態度擬於女子。」據此似男子婦飾之風，戰國已然。（俞樾謂「亂君」乃「亂民」之誤，下文「婦人莫不願得以為夫……中君羞以為臣」等句可證）

佛其音影，猶之曠世有忘自得之懷，比採其遠情而玩永年者乎！」按：二言「攬其餘芳，味其溢流」，即下文之「彷彿音影」。而餘芳亦即餘風。餘風溢流，即流風餘韻，亦即風流。蓋風之動，流之行，與形之成影，音之起響同也。故下文又曰：「彷彿其音影。」

男子纓足

王明清揮麈錄餘話卷二曰：「向宗厚儀方建炎末為樞密院計議官，儀方美鬚面若滑稽之狀，裹華陽巾，纓足極脩長於鉤距。同舍王儋公為寄戲語之曰：「君唐明皇時四人合而為一，何邪？」向曰：「願聞。」公為對曰：「君狀數黃幡綽，頭巾數葉法善，腳數楊貴妃，心腸數似安祿山。」席間一笑。俊方不懼，謂纏足之習，皆言起於李後主窅娘。俊方男子，而纏足極齊，數楊貴妃，實為千古異事。以清記事極慎，此語當非虛造。（此條一下法向止林語。按俞正燮《癸巳類稿》卷十三〈書舊唐書輿服志後〉論女子弓足，亦引此事。並謂「朝鞋過寬，上似其時婦人腳也。」俞氏知雖弓足非纏足。又按古之弓足，乃鞋頭如弓上翹起，與後世弓底不同，俞氏彎上之說是也。）

宋儒空談之弊

周密《癸辛雜識》〈續集·雅流自居條〉曰：「劉克莊云：『自義理之學興，士大夫研深尋微之功，不愧先儒。然施之政事，其合者實務。夫理精事粗，能其精者，顧不能粗者，何歟？是殆以雅自居，而不屑俗事耳。此語大中今世士大夫之病。按克莊此論，蓋不滿於空談義理而不能結合現實者。同書另有道學條，記老儒沈仲固之言，謂：道學之名起於元祐，盛於淳熙。其徒有假其名以欺世者，真可以嘘枯吹生。凡治財賦者則目為聚斂，開閫捍邊者則目為麤材，讀書作文者則目為玩物喪志，留心政事者則目為俗吏。其所讀者止四書、近思錄、通書、太極圖、東西銘、語錄之類。自詭其學為正心修身、齊家治國、平天下。故為之說曰：「為生民立極，為天地立心，為萬世開太平，為前聖繼絕學。」此等甚不近人情之事，異時必將為國家莫大之禍。余時年甚少，聞其說如此，頗有嗜其甚矣之嘆。其後至淳祐間，每見所謂達官朝士者，必愦愦冬烘，弊衣菲食，高巾破履，人望之知為道學君子也。清班要路，莫不如此。然密而察之，則有殊大不然者。然後信仲固之言不為過。蓋師憲（按即賈似道）當國，獨握大柄，惟恐有分其勢者，故專用此一等人，列之要路，名為尊崇道學，其實幸其不才憒憒，不致掣其肘耳。以致萬事不理，喪身亡國」。仲固之言，不幸而中。按周密生當宋亡之時，深悉當時之弊，故言之如此痛切，亦可以見偽道學之誤國，不待後世指斥，爾時已有詆之者矣。李蒓客日記謂周密此書，成於元初，其時宋人理學極盛。

## 壓一

秦觀品令有「天然箇品格，於中壓一」。吳潛亦有「恰好園地，隨宜亭榭，人道瀛洲壓一」。吳文英暗香疏影亦有「占春壓一」。此宋時語，猶今言壓倒一切也。

## 窄索

淳輝閣製箋

窄索二字，未知所出。陳允平西麓繼周集夜遊宮「有窄索樓兒傍水」。周密蘋洲漁笛譜浪淘沙「有窄索宮羅寒峭」句，似即窄小之意。亦宋時常語之入詞者。

戴纛執鍮

世說林公曰：「檀越既已戴纛，貧道何為不執鍮。」方以指謂盜偷合言。按鍮音偷，纛音近盜，故方以為盜偷合言語。

小筆小毫

晚唐人以畫為小筆，或曰小毫。鄭谷西蜀淨衆寺松溪八韻兼寄小筆崔處士。又予寄有雪景一絕，為人所諷吟，段贊善小筆精微，忽為圖畫，以詩謝之。又溫飛卿畫鷺詩：「閑說小毫能縱逸。」

一條米

唐人稱一粒米為一條米。白居易登靈應臺北望詩：「臨高始見人寰小，對遠方知色界空。回首却歸朝市去，一條米落太倉中。」按蘇東坡詩亦有一條米之稱，偶忘其詩篇題，俟補檢。

恥迎督郵者不止陶潛

後漢書趙曄傳少嘗為縣吏、奉檄迎督郵、恥於厮役、遂棄車馬去止。又范冉傳少為縣小吏、年十八、奉檄迎督郵。冉恥之、乃遁去止。

王逸楚辭章句原本九辯居第二之証　此條應入卷二

古本楚辭釋文九辯列第二、王逸章句同。今本乃經後人移易者。予嘗擧哀郢堯舜之抗行兮止注美超遠而逾邁止等句、亦見九辯中、王逸注有此皆詳於九辯中止之

詩詮王氏原本九辯居第二。友人席魯思亂為不然，謂若
真九辯居首，先讀者於內解早已了然，王氏決不贅筆。
然予考章句中數此者尤多。如賈誼惜誓，梅伯數諫而
醢兮，注已解於離騷經。又箕子被髮而佯狂，注已解於九章
東方朔七諫沈江篇，晉獻惑於孋姬兮，申生孝而被殃，注
已解於九章中篇。又怨世篇，呂望窮困而不聊兮，遭周文而舒
志。甯戚飯牛而商歌兮，桓公聞而弗置，注已解於九章篇
中。又怨思篇，子胥諫而靡軀兮，比干忠而剖心。子推自割

而飲君兮德日忘而怨深。法已見於九章由也。又哀命篇念
女嬃之嬋媛兮涕泣流乎於悒。法已見於離騷經。又謬
諫篇固時俗之工巧兮滅規榘而改錯。卻騏驥而不乘兮
策駑駘而取路。當世豈無騏驥兮誠無王良之善御。見執
轡者非其人兮故駶跳而遠去。法皆已見於九辯。又不量鑿
而正枘兮恐榘矱之不同。法已見於離騷經。又和抱璞而泣兮
安得良工而剖之。法已見於上篇。又衆鳥皆有行列兮鳳獨
翔翔而無所薄。法已見於九辯也。〇12又嚴忌哀時命篇曰路

新於廢蒸矣、機篷矣以騣革爲之納於七諫也又劉向九歎、惜賢篇晉申生之雜玦兮、荊和氏之泣血。吳申胥之抉眼兮、王子比干之横廢。注皆已納於九章據以上所擧十三例、皆先已作解、故不再注、乃有贅筭、與芳君之意相反。楚九辯居前、乃寧由原於無疑。

作賊作官

袁枚隨園詩話卷十二有一條曰南宋末年、士大夫簠簋不飭、有鄭重者、素似賊、以軍功得主簿、衆不禮焉。鄭乃默詩云：「鄭熏素行本小謹，熏有狂言上眾官。眾官作官還作賊，鄭熏作賊還作官。」按此事亦詩史中有趣之事，故錄存之。

阿侑　燠休　噢咻　啊唷　啊喲　夥頤

洪亮吉曉讀書齋四錄卷下，記顏氏家訓風操篇云：「蒼頡篇有倄字，訓詁云：『痛而謼也，音羽罪反。』今北人痛則呼之。聲類音於耒反。」按既有羽罪、於耒二反，則字不當有文音，疑倄字為侑字傳寫之誤。今北俗痛苦甚為呼阿侑，讀若猶，或為与古同也。左傳昭公三年「而或燠休之」，服虔注云：「燠休，痛其痛而念之。」若今時小兒痛，父母以口就之曰：「燠休」，燠休代其痛也。阿侑，即燠休之轉聲也。今按此聲，今人又寫作咿唷、咿喲。玉篇、廣均又作噢咻。又按史記稱陳涉故人見涉宮，云驚呼曰：「夥頤，涉之為王沈沈者」。後人因夥有多義，遂用以代衆多，非也。疑亦呵唷、咿喲類歎詞一聲之轉，方言無的字。

俗諺俗語有所本

俗諺有曰：「骨頭裏肉，五更頭睡，雖不多，都有味」也。昨閱周密浩然齋雅談，記虛名役人，早朝之人，不如高隱之士門、高臥之趣。引諺曰：「骨邊肉，五更睡，雖不多，最有

淳輝閣製牋

味」。又俗語有偷天換日、言暗中作惡之人。北史廣平王傳、有「頃來指鹿為馬、移天徙日」。又溫子昇志、有「往者元叉執權、移天徙日」。言擅權勢者、弄權妄作、俗語當即出此、但用字不同耳。予有詞譏修正主義者赫魯曉夫暗中偷換馬克思革命原理曰：「詎奈狂奴無顧藉、暗思換日偷天」。如用「移天徙日」、雖似雅切、但不饒通俗。詞家有俗而能雅之說、然亦須用之得宜、一味求雅、有時反俗、惟用俗而不傷雅、斯為合作。

矮鷄冠花即玉樹後庭花

蘇轍欒城集卷二有寓居詩詠矮雞冠花曰：后庭花草盛，憐汝計興亡。自注：或言矮鷄冠花即玉樹後庭花。

戰國時養士之舍有三等

史記孟嘗君列傳謂：養士有三等，居之舍亦三等。上舍為代舍，中舍為幸舍，下舍為傳舍。後人但知有傳舍。

桓溫玩侮殷浩

釋惠洪冷齋夜話卷八，記沈東陽野史曰：晉桓溫少與殷

淳輝閣製箋

浩友善。殷嘗作詩示溫，溫玩侮之曰：「汝慎勿犯我，當出汝詩示人。」按不知殷詩為何，遂為桓溫所挾持。

記文彥博對敘蘇軾詭語三則

東坡志林卷十，潞公坐客條：記「潞公坐客有言新栽極迂怪者。公笑不答，久之曰：「頃嘗記明皇坐勤政樓上，見釘鉸者，上呼曰：『朕有一破損平天冠，汝能釘鉸否？』此人既為完之，上曰：『朕無用此冠，以予汝為工直。』其人惶恐謝罪。上曰：『候夜深閉門後，獨自戴，甚無害也。』」又楊慎丹鉛總

條十五 荊公字說條：記「王荊公好解字，說而不本說文，妄自杜撰。劉貢父曰：「易之觀卦，即是老鸛，詩之小雅，即是老鴉。」荊公不覺欣然，久乃悟其戲。又問東坡鳩字何以從九？東坡曰：「鳲鳩在桑，其子七兮，連娘帶爺，恰是九個。」又字說波者水之皮，坡公笑曰：「然則滑是水之骨也。」

按詩曰：「善戲謔兮，不為虐兮。」其二公之謂乎。

記日人收購我古籍

民初予家居上海，一日薄暮，行經四馬路來青閣。

偶入閱插架書，見納蘭詞一冊，紙墨精好。蓋徐健菴所刻初印本也。愛不忍釋，叩其直，六元耳。適未有，擬次晨備價往取。次日乃予方步入，即見一日人由內出，微睨其手中所携，心為之動。及叩之店主，正予昨所見今欲購取之納蘭詞也。懊恨不置。然竊於此人何以能識此書，詢之，始知乃日本之大學委託駐滬收購我古書者。此人頗精於鑒別版本，且遇珍本亦不惜重價。我國有名藏書家，亦嘗貪得高價，不惜出售所藏宋元珍本。以此古書流入日本者日多，深可痛恨。聞傅沅叔游日本，觀內藤虎藏書。虎指其所庋我國文史，笑謂傅曰：貴國文史教師，將取才於敝國矣。傅聞言殊憤。予嘗以詩贈史學系卒業生，中有一絕曰：「柯（鳳蓀）家元史久名高，近代梁（啟超）陳（寅恪）亦俊髦。何事狂言內藤虎，百城坐擁向人驕。」即記此事也。

段玉裁論校勘當以文義為主不必定要依據

段玉裁經韻樓集卷十二答顧千里書論校經曰：

淳輝閣製牋

「夫校經者，將以求其是也。審知經字有譌則改之，此漢人法也。漢人求諸義而當改則改之，不必其有左證。」據此「無徵不信」，語出禮記。乃校書者所奉為金科玉律者。段氏此語，蓋因顧氏禮記改證，以別本諸字為據以改經字之不協者於文義有違，故謂當以義為主。其又一書曰：「校書者就一字一句異同、鹵莽立說，而不觀上下文以求其義理，乃好為厭常喜新之說，以欺眩天下，謂天下無能測我之淺深，當以千里為隆。」段注說文，即有不必佐證而改譌字者，或以無徵非之。不知段之為此，非無理妄作可比。予昔校讀屈賦，亦曾有不必佐證而改譌字者。如「女媧有體」，以有為首字之譌。首即貨化也。（此猶有女媧一日七十化可據。）又如「鴟龜曳銜，鯀何聽焉」。聽乃聖字。言鯀有何聖德，而令鴟龜曳銜相助。後人皆以鯀為四凶族之一，故不以為有聖德可以感物類。不知屈子所讀之書，有不與儒家所同者。故屈賦同情伯鯀之處甚多。然則一字之譌，不但有關一句之文義，且有關作者之思想，及全部作品。凡此類而必拘守無徵不信之律，則為無識。以別本異文為可徵，而竟据以改本書非誤之字，則為厭常喜新。無徵而不從文義推究其是非，遽肊妄改，則為專輒武斷。此事非易言也。又按聖聽古通。左賦作聽，乃用借字，必漢代以後傳寫所為。但後人不知是借字，遂不免以借義害本義。

高僧傳記鳩摩羅什以大乘法悟其師事

高僧傳『鳩摩羅什因其師盤陀達多未悟大乘，欲往化之。中略即為師說德女問經，多明因緣空假。中略師謂什曰：「汝於大乘見何異相，而欲尚之。」什曰：「大乘深淨，明有法皆空，小乘偏局多滯名相。師曰、汝說一切皆空、甚可畏也。安捨有法而愛空乎。如昔狂人、令績師績綿、極令細好。績師加意、細若微塵。狂人猶恨其麤。績師大怒、乃指空處曰、此是細縷。狂人曰、何以不見。師曰、此縷極細、我工之良匠、猶且不見、況他人耶。狂人大喜、以付績師。師亦效焉、皆蒙上賞、而實無物。汝之空法、亦由此也。什乃連類而陳之、往復苦至、終一月餘日、方乃信服。師歎曰、師不能達、反啓其志。（乃瑞應本起經敘太子七歲學書時語。）驗於今矣。於是禮什為師。言和尚是我大乘師、我是和尚小乘

淳輝閣製牋

師矣。」按此傳所記羅什師弟辯論有實證，極佳，而師弟互相為師，尤可貴。我國古語有「諸過其師，然後可以為弟子」之語。孔子謂「後生可畏」。又曰「回也非助我者也，於吾言無所不說」。皆於師弟關係，言之至切，正可參看。

王銍論討論古事須全面

宋王銍（性之）嘗傳跋云：「僕性喜討論，考合同異，每聞一事，隱而未見，及其見而不同，如瓦礫在懷，必欲討閱，歸於一說而後已。嘗謂讀千載之書，而探千載之迹，必須盡見當時事理，如身履其間，然分條縷析，從始備盡，乃可置議論。若略數一言一事，未見其餘，則事之相戾多矣。又謂若世之事，亦不可考，特學者觀書少而未見爾。按此段見胡應麟少室山房筆叢華陽博議下。其論討閱古事，不可只依片面資料，必盡見當時事理，如身履其間，條分縷析，從始備盡，解此數語，尤為切要。胡氏亦謂此數語尤為曲盡。後謂如宋洪景盧、明楊用修，非不旁蒐廣涉，而以輕於立論，遂誚後人。胡氏輕於立論四字，亦至切要。考古者不可不知。

## 記長壽人二則

蘇軾和陶擬古九首第七首「雞窠養鶴髮」施注引錢希白洞微志「太平興國中，李守忠爲承旨，奉使南方，過海至瓊州界，道逢一翁，自稱楊遐舉，年八十一，邀守忠詣所居。見其父曰叔連，年一百二十二，又見其祖曰宋卿，年一百九十五。語次，其梁上雞窠中有小兒出頭下視，宋卿曰：『此吾前代祖也。不語不食，不知其年，朔望取下，子孫列拜而已。』」按此事

甚奇，雖寓老人，恐不可信。惜友人陶因曾為予言其鄉人
某，國洪楊之亂時避兵，道過一家，因天晚求宿。主人迎入，須臾一老
者入，主人令肅客。曰：此吾子也。少時又亦鬚髮皓然者由外
入，主人又命之揖客。曰：此吾孫也。某觀主人，容色尚壯，頗異之，因
與深談，知為有道之士，乃請留為弟子，主人許之。居數年
始傳其術。此與前事乃作對，皆長壽人之特異者。

唐順之稗編

明史唐順之傳，順之字應德，武進人，盡取古今載籍剖

裂衣補綴，區分部居，為左右、文武、儒稗六編，傳於世。按其書不易得，武漢大學圖書館有其稗編，嘗取閱之，其書頗蕪雜。其採錄之文字，任意割裂，昧於撰述之體，而當時頗為人所重。唐順之為古文，與茅坤齊名，茅為作序，亦盛稱之，何耶。

治偏頭痛方出宋代禁中

吾家舊傳治偏頭痛方，用鮮蘿蔔汁滴鼻，左痛滴右，右痛滴左，極效。頃閱王士禎香祖筆記卷十一，載王安石常患偏頭痛、神宗錫以禁方、用新蘿蔔取自然汁、入生龍腦少許、調勻、昂頭滴入鼻竅、左痛則灌右鼻、右即反之。據此則傳自宋代禁中、而酒加入生龍腦、其效更大。

不啻　不翅　不適

不啻、說文語時不啻也。一曰諟也。倉頡篇不啻、多也。玉篇賣云不啻也。按此則為市井常談。六書故啻、猶言何止、或作翅、又通適。黃山谷詩向來四海習鑿齒、今日期君不啻過。言今日期君不止過於向來之習鑿齒。●國策疑臣者不啻

適三人。」言不止三人也。世說、王文度弟阿智惡乃不翅。」言不止於

惡有過之者。

那那能能

那本与奈同。李白長干行、那作商人婦、愁水又愁風。」言奈作商

人婦也。杜甫北征詩、那無囊中帛、救汝寒凜凜。」言奈無囊中

帛也。有時那与能字同。吳文英惜紅衣詞、鬢那不白。」言鬢那

能不白也。又那有時与那般、那樣同。能亦有此義。吳文英三

姝媚詞、春夢人間須斷、但怪得夢縁能短。」言夢本應斷、

但怪夢緣那般的短也。

三命　此條應入卷二

屈原九謌曰：乃知遭命之將至。諸家皆無注。予著通釋，乃孟子盡心章：順受其正，趙岐注謂行善得惡曰遭命。初不知趙說所本。今按禮祭法立七祀曰司命，鄭玄注：司命主督三命。孔穎達正義引援神契云：命有三科：有受命以保慶，有遭命以謫暴，有隨命以督行。受命，謂年壽也。遭命，謂行善而遇凶也。隨命，謂隨其善惡以報之。趙注蓋出於緯書。

卍卐二字有別

卍与卐二字下觀易淆。予曾叩之道德文友何君延君。承檢韋氏大學辭典見示云：卍乃直屈頭十字，由梵語Swastica來，Su = well + astica = being義為福利。卐亦直十字，其屈頭依時針方向，從左右旋，乃納粹及第三帝國（指一九三三至一九四五德國）之徽章也。德文為Hakenkreuz、讀為哈肯苦羅伊茲，二字不同。予昔作觀德軍入巴綠藏字木蘭花詞有曰瑤京換色、卍字旂常驕蔽日句。
誤以卐為卍、且依舊讀為萬、應改作卐、讀為哈字
旂常驕蔽日用其字之第一聲也。按洪邁容齋三筆
曰法苑珠林序佛之初生日、開卍字於胸前、轉千輪
於足下。蓋佛胸前有此字相、故云。又丁福保編佛學辭
典、謂卍字是印度相傳吉祥標相、此字之義吉祥海
雲相也。縮刷韋氏辭典、[redacted]福利之訓、不如吉祥、又梵文讀音、據佛
學辭典為室內靺洛剎曩、與Swastica不符、當問洪通梵文者。

淳輝閣製箋

黃檗自題象詩非檗作 此條宜入卷二

王士禛池北偶談、謂黃檗自題象詩、非檗作、乃元微之贈智度師絶句、但首句作三陥思明三突圍耳。沼閲宋趙与旹賓退録、謂此詩乃将元詩竄易礫裂、合二首一、元集可攷。

其一云、四十年前馬上飛、功名藏盡擁禪衣、石榴園下擒生處、獨自閑行獨自歸。其二云、三陥思明三突圍、鐵衣抛盡納禪衣、天津橋上無人問、閑凭闌干望落暉。按据此、則非但首句不同矣。黃詩曰、十五年前草上飛、鐵衣著盡著僧衣知天津橋上無人問，獨倚闌看落暉。

江淹擬惠休詩誤（以人作休）湯休詩　此條夜人卷二　故事同

王楙野客叢話卷十二有江淹擬古條曰：「邇齋閒覽云：「文選有江淹擬湯惠休詩曰：「日暮碧雲合，佳人殊未來。」今人遂用為休上人詩故事。僕謂此誤，唐已然，不但今也。如韋莊詩曰：「千斛明珠量不盡，惠休虛作碧雲詞。」許渾送僧南歸詩曰：「碧雲千里暮愁合，白雪一聲春思長。」曰：「湯師不可問，江上碧雲深。」權德輿贈惠上人詩曰：「支郎有佳思，就

淳輝閣製牋

白淩碧雲。」孟郊送清遠上人詩曰：「詩誇碧雲句，道證青蓮心。」張祜贈高閑上人詩曰：「道心黃蘗老，詩思碧雲秋。」雪竇詩曰：「碧雲流水是詩家。」曰：「湯惠休詞豈易聞，暮風吹斷碧溪雲。」此皆誤以为湯詩用。惟韋蘇州贈皎上人詩曰：「願以碧雲思，方君怨別詞。」似不失本意。吳曾漫錄但引白樂天与廣宣上人對答二詩为證，豈止此耶？」又卷二十規倣古詩六條曰：「石林詩話云：「江淹擬湯惠休詩曰：『日暮碧雲合，佳人殊未來。』大以为佳句。然謝靈運、圖景早已滿，佳人猶未適。」謝玄暉「春草秋更綠，公子未西歸。」即是此意。僕觀古樂府「黃雲暮四合，高鳥各分飛。寄語遠遊子，月明何未歸。」此正江淹兩句所本，此四句以碧雲為黃雲耳。」

按詩人所稱佳人、美人，大都用屈賦美人香草以喻賢德之意，即惠休擬詩，亦託意於此。沈德潛古詩源評此詩乃曰：「禪宗人作情語，轉覺入微。微處亦可證禪也。」又引顏延之語，謂「惠休制作，委巷間歌謠耳，方當誤後生。」則更憐人前說不值笑矣。後來李清照曾用江詩作永遇樂，起句

此條誤記應删
吳詞瓊樹三枝
及下云宮蘭魂
蕭鳳皆美人名
皆因作澄塗梅氣
之用事見小說劉
侍云及羅燁醉
翁談錄二書

曰「落日鎔金，暮雲合璧，人在何處。」曰「暮」字，江詩之日暮也。
暮雲之字，江詩之碧雲合也。佳人在之字，則江詩之佳人殊未
來也。其巧如此，亦可謂善用古者矣。又按白氏句亦有「黃菊製時佳客至，碧雲合處美人來」句。
吳文英詠梅詞用蘭昌宮，疑連昌宮之誤。此條應入考之二
吳文英解語花詠梅詞有「瓊樹三枝，總似蘭昌見」，亦按
蘭昌宮在福昌縣西十七里，見唐書地理志。唐人詩詠者不多，惟
於全唐詩五百五十七卷有孟遲一首曰「宮門兩片掩埃塵，
牆上無花草不春。誰見當時禁中事，阿嬌解佩與何人。」

淳輝閣製箋

又五百八十五卷，有劉駕一首曰：「宮閑小路草，可得春長在，回首春又歸，翠華不得待。曉風生輦路，山川宗之晦。邊根花引人，行人無盡歲。」二詩皆與吳詞瀵樹三枝意涉，詠吳詞之蘭昌乃連昌之誤。元微之連昌宮詞，寫楊氏姊妹隨遊，有「楊氏諸姨車鬥風」語，吳詞引之，以形容雪梅之盛。蘭連聲近，因誤。吳詞用典，晦澀，即有誤字，人多不以為誤。校字者類以晦澀目之，而不敢改。全書中頗有此失，姑存予說，以俟再考。又按連昌宮在壽安縣西，與蘭昌無涉。

## 幽人　道人　上人

後漢書李固傳、李固上疏有、是以巖穴幽人、智術之士、彈冠振衣、樂欲為用之語。惠棟曰、易幽人貞吉、漢人皆以為幽繫之人、六朝始以幽人為高士。此疏亂經蔚宗改竄、非復本真也。又葉石林避暑録云、晉宋間佛家初行、其徒未有僧稱、通曰道人。又呉曾能改齋漫録巻七、指為上人條曰、唐詩多以僧為上人、如杜子美已上人茅齋、是也。摩訶般若經云、何名上人、佛言、若菩薩一心行阿耨菩提心不散亂、是名上人。十誦律云、人有四種、一麤人、二濁人、三中間人、の上人。

古词義有後世误用者

李賡芸炳燭編曰：「词義古今有異。例如韓盬古為純粹之來，猶言子之克家，後世用為純蓋父之愆。如舜之於瞽瞍，禹之於鯀，非古義。（蠱，事也。見易蠱虞注。）按此類甚多。如幸民本出左氏宣公十六年傳：「善人在上，則國無幸民。」諺曰：「民之多幸，國之不幸也。」其義則為僥倖之民，非美稱也。後世用以為太平之民之稱。黄魯直詩：「付與昇平作幸民」是也。又按幸，說文：「吉而免凶也。」字亦作倖，後世以幸、倖分用，故誤。

淳輝閣製牋

王安石詩用亦字与常義異

王安石詩慣用亦字，義与或与倘与如同，与常用義別。豈當時（臨川）方言耶。例如送遜師歸餘姚詩：「亦見桐鄉諸父老，為傳衰颯病春風。」即或見桐鄉諸父老也。送李璋詩：「故人亦見如相問，為道方尋木鴈篇。」即故人倘見如相問也。酬慕容員外詩：「江尤亦見庭闈飲，莫救窮愁入兩眉。」即江尤如見庭闈飲也（江尤未誤）。送楊驥秀才歸鄞縣詩：「中相前後皆幽懿，亦見鄉人為發揮。」

*送劉和甫奉使江南詩：「亦見客頭花擁幔，更將春色寄相思」。即借見花顏花擁幔也。送李孫詩：「柳岡定有羊裘客，亦見東風使我知」，即如見東風使我知也。

如見鄉人為告揮也。★又如次吳氏女子讀詩：「人世豈能無聚散，亦逢佳節且吹花」，即借逢佳節且吹花，如嬉借詩：「亦欲心如秋水靜，應須身似嶺雲閑」，即借欲心如秋水靜也。

孟子論讀者意逆之法　此條應入卷二

孟子答咸丘蒙論詩，有「以意逆志」之說，趙邠卿注是矣，而未詳。蓋於如何方能逆志，未能發揮也。今按孟子意逆之法，即「不以文害辭，不以辭害志」而言。試申論之。志者，作者之思想感情也。以常語釋之，則為什麼要說辭者，思想感情託之以見之事

義也，亦即作品之內容。以常語釋之，則說此什麼之文者，篇章
字句也，而修詞語法屬之。以常語釋之，則怎麼說法也。作者
必先有思想感情，而後通過事義，以表達之，有事義而後
組織篇章字句以成之。蓋作者創作時，乃由隱以至顯，其勢
順。讀者研閱時，則從淺以至深，其勢逆。故曰「逆志」。至「不害」二字，
尤示人以研閱之要，亦所以防主觀之失也。不害者，不誤會，不
曲解之謂也。雖然，作者表達其志之方，至為靈變，有含
飾者，有徵而顯者，有言在此而意在彼者，有言近而旨遠者，有正言若反，反

言若正者，其志之何若，亦非一覽可得。（要視讀者之學力而定）此劉彥和所以有「豈成文之道深，患識照之自淺」耳之論也。意逆之法，如此而已。

淳輝閣製箋

讀者於此法外，更加以知人論世之功，則必無主觀論事之失。

孟子之言精要如此。按予著屈賦通釋中敘論曾詳論此，可參看。

每懣們

我輩之輩，元曲中聲轉成每。宋人或又作懣。王銍默記，載王溥父祚喜卜者詐訣，其身壽有至一百三四十歲，惟一百二十歲春夏間，微苦臟腑，乃宋周煇清波雜志卷一元祐大晉條亦有「欽聖云：『天休与他蕩宰執理會，但自家掤着話他蕩，叩他竿也。』」

顧其子孫在傍侍立者曰：「孫兒蕩切記之，是年且莫放我喫冷湯水。」蕩亦某之轉，但此字不常見。今又轉成們，方俗言無定字也。

放火　此條應刪

俗有「只許縣官放火，不許百姓點燈」諺，放火非殺人放火之謂。陸游老學庵筆記卷五裏記「田登作郡自諱其名，觸者必怒，吏卒多被榜笞。於是舉州皆謂燈為火。上元放燈，吏人遂書榜揭于市曰：『本州依例放火。』」俗語蓋出于此。

眉批夾條

27

以一分為二之理看杜老前後構詞之異，不足為病。蓋獻賦時傾向其最高統治者，宜其頌揚之，後來接近民眾，疾首權貴，故前人創有識別，不相謬。其矛盾處正是真實處，不關行文體制也。

67

承湘曩有銅墨盒正圓形，其蓋作此鴛鴦篆文，不知何所本。今讀此則云「双鴛鴦字組成此圖案」，因就倩友之篆文書之，聊備一格，藉以解頤耳——。

143

湘按：詩詞曲語辭匯釋卷四「索是」條云：「索是，猶煞是也。」索、煞一聲之轉，索或即煞。誤系此前矣。

155

承湘曾見池北草堂藏有徐氏精刻竹紙本納蘭編輯之通志堂經解，後已散失。其紙釘背上，蓋一小楷圓朱文印，曰「南樓」。冊冊皆然，攜閱護葉，不能窺見也。南樓不知何人，或為成德之號歟？（此書收經甚旺至不可讀我國學而棄之大可惜）

161

我於此語忘其所出何處

智過其師，始堪傳授；此似禪宗語，非我國古語也。

167

張相诗詞曲语辭匯释卷三「能（二）」条內引吳文英之《姝媚》詞曰「但怪得當年，夢緣能短」；解曰：「猶云夢緣何其短或太短也」。弟意張氏釋此能字不及尊解正確，能與奈本聲轉也。

弘度九兄誨席　弟承湘謹答　一九六五年五月六日